DE VOLTA AO MOSTEIRO

James C. Hunter

DE VOLTA AO MOSTEIRO

O MONGE E O EXECUTIVO FALAM DE LIDERANÇA E TRABALHO EM EQUIPE

SEXTANTE

Título original: *The Monk and the Manager*
Copyright © 2014 por James Hunter
Copyright da tradução © 2014 por GMT Editores Ltda.
Todos os direitos reservados. Nenhuma parte deste livro pode ser utilizada ou reproduzida sob quaisquer meios existentes sem autorização por escrito dos editores.

tradução
Vera Ribeiro

preparo de originais
Regina da Veiga Pereira

revisão
Hermínia Totti e Rebeca Bolite

adaptação de projeto gráfico e diagramação
DTPhoenix Editorial

capa
Victor Burton

impressão e acabamento
Lis Gráfica e Editora Ltda.

CIP-BRASIL. CATALOGAÇÃO NA PUBLICAÇÃO
SINDICATO NACIONAL DOS EDITORES DE LIVROS, RJ

H922m   Hunter, James
           De volta ao mosteiro: o monge e o executivo falam de liderança e trabalho em equipe/James Hunter; tradução de Vera Ribeiro; Rio de Janeiro: Sextante, 2014.
           192 p.; 14 x 21 cm.

           Tradução de: The Monk and the Manager
           ISBN 978-85-431-0127-9

           1. Liderança. 2. Liderança – Aspectos morais e éticos. I. Título.

14-13254
CDD: 303.34
CDU: 316.46

Todos os direitos reservados, no Brasil, por
GMT Editores Ltda.
Rua Voluntários da Pátria, 45 – Gr. 1.404 – Botafogo
22270-000 – Rio de Janeiro – RJ
Tel.: (21) 2538-4100 – Fax: (21) 2286-9244
E-mail: atendimento@sextante.com.br
www.sextante.com.br

Sumário

Prefácio · 7

Capítulo 1 ～ Fracasso · 11
Capítulo 2 ～ Regresso · 17

Primeiro dia: Revendo conceitos

Capítulo 3 ～ Reencontro · 24
Capítulo 4 ～ Responsabilidade · 30
Capítulo 5 ～ Influência · 36
Capítulo 6 ～ Habilidade · 41
Capítulo 7 ～ Gerenciamento · 47
Capítulo 8 ～ Poder · 52
Capítulo 9 ～ Autoridade · 59
Capítulo 10 ～ Serviço · 65
Capítulo 11 ～ Amor em ação · 72

Segundo dia: Liderança em ação

Capítulo 12 ～ Afagos · 80
Capítulo 13 ～ Palmadas · 86

Capítulo 14 ↪ Treinamento · 92

Capítulo 15 ↪ Compromisso · 98

Capítulo 16 ↪ Humildade · 104

Capítulo 17 ↪ Caráter · 110

Capítulo 18 ↪ Crise · 116

Capítulo 19 ↪ Cabeça → coração → hábito · 122

Terceiro dia: Construindo uma comunidade

Capítulo 20 ↪ O presente · 132

Capítulo 21 ↪ Se você construir... · 137

Capítulo 22 ↪ Fingimento · 142

Capítulo 23 ↪ Fricção · 148

Capítulo 24 ↪ Formação · 155

Capítulo 25 ↪ Funcionamento · 163

Capítulo 26 ↪ O mapa · 170

Capítulo 27 ↪ Regresso · 178

Apêndice · 185

Prefácio

NA PRIMAVERA DE 2005, recebi um telefonema de minha editora brasileira, a Sextante, informando-me de que *O monge e o executivo* tinha se tornado um campeão de vendas. Levei um susto na ocasião e até hoje continuo admirado com a popularidade que o livro alcançou no país.

Desde então, estive diversas vezes no Brasil, onde fiz 70 palestras em 30 cidades diferentes, de São Luís a Blumenau, de Cuiabá a Natal, de Fortaleza a Florianópolis, de Gramado a Belém e de Manaus a Macaé. Passei a amar o país e seu povo!

Em minhas viagens, as pessoas sempre me perguntam por que meus textos fazem tanto sucesso no Brasil. Nos dez anos decorridos desde a publicação de *O monge e o executivo*, ainda não encontrei nenhuma explicação razoável para esse fenômeno. Para vocês terem uma ideia, o livro vendeu milhões de exemplares no mundo inteiro, sendo que 80% foram só no Brasil.

A resposta que costumo dar é que "Deus deve ter algum plano para o Brasil! Afinal, de acordo com a sabedoria popular, se você sabe explicar o milagre, não foi obra de Deus!".

Quando anunciei que estava escrevendo *De volta ao mosteiro*, as pessoas começaram a me fazer outra pergunta: "Por que mais um livro sobre o monge e o executivo?" A resposta mais curta é: "Continuo a crescer e a descobrir coisas novas, com o mesmo vigor que recomendo aos leitores, por isso quero compartilhar esta nova aprendizagem com meu público."

Em meus 36 anos de carreira, fiz consultorias para mais de 400 organizações no mundo inteiro. Durante esse período, tive o privilégio de trabalhar com alguns dos melhores profissionais que existem, e também com alguns dos piores. Aprendi muito com meus clientes.

Além disso, já faz 17 anos desde que concluí o manuscrito de *O monge e o executivo*, e cheguei a uma compreensão mais profunda e mais rica da liderança servidora. Tenho também novas percepções de como as pessoas mudam, inclusive dos passos necessários para o desenvolvimento das habilidades de liderança. A primeira metade deste livro é dedicada a muitas dessas novas percepções.

Já a segunda trata da cultura e da formação de equipes de alto desempenho, tema sobre o qual fiz apenas uma breve alusão em meus dois livros anteriores. Nos últimos anos, venho adquirindo uma visão mais clara de como a cultura, o trabalho de equipe e o "companheirismo" (o que chamo de "comunidade") são importantes para as organizações. De fato, a cultura é um ingrediente fundamental (talvez o ingrediente-chave) do que torna excelente uma organização.

Antes de seguir adiante, porém, gostaria de definir melhor esses termos.

Quando uso a palavra "organização", refiro-me a qualquer grupo de duas ou mais pessoas reunidas com uma finalidade. Assim, os princípios de construção de uma cultura de excelência aplicam-se ao casamento, à família, aos esportes, aos negócios, às forças armadas, à educação – praticamente a qualquer grupo que se possa imaginar.

Ao discutir a "cultura", refiro-me à maneira como funciona a organização, incluindo suas crenças, seus valores, suas atitudes, seus comportamentos e, em última análise, seus traços e hábitos singulares. Em outras palavras, cultura é "nosso jeito de fazer as coisas". Toda organização tem sua cultura característica.

Gosto de pensar na cultura como uma águia gigantesca, com potencial para elevar qualquer organização ao nível de excelência e a novas alturas. As asas da águia que lhe permitem voar alto são a liderança servidora e um forte senso de companheirismo e comprometimento.

Ao longo dos anos, conheci muitos líderes bastante sólidos, mas que não conseguiam criar coesão e comprometimento em suas equipes. Também conheci outros que eram excelentes na formação de equipes e no estabelecimento de laços afetivos, porém incapazes de compreender a liderança ou exercê-la com competência. Quando se consegue fazer as duas asas da águia funcionarem de forma harmônica, ela voa muito mais longe. E chega ao seu destino muito mais rápido.

Minha experiência me convenceu de que esse potencial latente de excelência encontra-se adormecido em mais de 90% das organizações, incluindo empresas, casamentos e famílias. Isso é triste, porque praticamente qualquer organização tem capacidade de criar uma cultura de excelência ao se comprometer com alguns princípios simples.

A boa notícia é que dispomos da metodologia para a construção tanto de grandes líderes quanto de companheirismo e comprometimento. Na verdade, essa metodologia já existe há muito tempo!

Fico bastante surpreso ao ver como são poucos os que tiram proveito desse enorme potencial em suas organizações. E o custo é irrisório. Basta ter vontade de crescer. Vontade de mudar. Vontade de melhorar.

Construir líderes e formar uma comunidade é a chave para criar e sustentar uma grande organização e uma cultura de excelência. E os passos são simples, como você vai ver neste livro.

O filósofo e poeta Ralph Waldo Emerson dizia que, quando se assume um compromisso, o Universo conspira para fazê-lo acontecer. Rogo para que vocês assumam o compromisso de criar excelência em qualquer organização de que façam parte.

Portanto, é com grande alegria que compartilho estas novas descobertas com vocês, meus queridos leitores brasileiros!

Que Deus os abençoe imensamente em sua jornada.

James C. Hunter
1º de julho de 2014

CAPÍTULO 1

Fracasso

Minha grande preocupação não é se você falhou, mas se está contente com sua falha.
— ABRAHAM LINCOLN

QUE FRACASSO! Fazia mais de dois anos desde o meu retiro de uma semana no João da Cruz, o velho mosteiro beneditino no norte de Michigan. Ao terminar aquele retiro, eu me sentira esperançoso e otimista, certo de que minha vida teria uma mudança radical para melhor.

E as coisas realmente haviam mudado.

Só que de modo diferente do que eu esperava.

Mais uma vez, minha vida estava fugindo ao controle. Até meu antigo e recorrente pesadelo infantil havia voltado a me atormentar.

Meu pesadelo se passa numa noite muito escura, sem lua. Estou perdido e assustado, correndo por um cemitério, e, embora não consiga ver o que me persegue, *sei* que se trata do mal, de algo que quer me causar danos terríveis.

De repente, um ancião usando um manto negro e um capuz aparece na minha frente, saindo de trás de um grande crucifixo de concreto meio dilapidado. Quando esbarro nele, o ancião me segura pelos ombros, fixa os olhos nos meus e grita, em tom urgente: "Ache Simeão! Ache Simeão e ouça-o!"

Eu sempre acordo tremendo e suando frio.

Mas, voltando ao que estava dizendo, depois do retorno para casa, após aquela semana impressionante no mosteiro, tive certeza de duas coisas: eu finalmente "achara" Simeão e "ouvira" o que ele tinha a dizer, e meu pesadelo recorrente acabaria e minha vida nova e transformada começaria.
Pensando agora, constato decepcionado: que ilusão! Que fracasso!

CUMPRINDO FIELMENTE SUA PROMESSA feita no último dia do retiro, o sargento Greg mandou e-mails para nosso pequeno grupo de sete pessoas, propondo possíveis datas de reencontro.

O "Bando dos Sete" (como o sargento nos chamava) incluía a treinadora Chris, a enfermeira Kim, o pastor Lee, a diretora Teresa, o sargento Greg, o professor Simeão e, é claro, eu, o executivo John.

Quando acabou aquela semana notável, todos esperávamos voltar ao mosteiro seis meses depois para um reencontro. Ninguém imaginava que levaria mais de dois anos para tornarmos a nos reunir.

O problema era criado pelo abade, o cara que dava as ordens, e que tinha de dar sua aprovação para que qualquer coisa acontecesse.

As informações que o sargento nos mandou por e-mail revelaram que Simeão não estava conseguindo obter permissão do abade para nosso reencontro, o que me deixou profundamente irritado.

Antes de tornar-se monge, Simeão era Len Hoffman, uma lenda empresarial e um dos executivos mais bem-sucedidos da história norte-americana. Com a morte de sua mulher, ele decidira entrar para o mosteiro, onde passou a fazer retiros para profissionais. Eu não conseguia imaginar que Simeão precisasse de *permissão* para um encontro!

Tenha paciência!

Por fim, após muitos meses de pedidos, esperas, recusas e novas solicitações, Simeão havia recebido a "bula papal", ou seja lá qual fosse a permissão necessária para permitir nosso reencontro.

Aparentemente, o mosteiro estaria vazio, pois os 32 monges companheiros de Simeão estariam participando de uma conferência mundial dos beneditinos em Roma. O professor havia recebido permissão especial para ficar cuidando do mosteiro, além de ser o anfitrião de um reencontro de fim de semana com o Bando dos Sete.

Em sua infinita sabedoria e divina clemência, o abade finalmente concedera uma licença especial para nos reunirmos, além de dar a Simeão a inusitada permissão para faltar à conferência e se encontrar conosco.

Fiz uma anotação mental para enviar ao abade um cartão de agradecimento e um presente por sua comovente generosidade.

Ou não.

COMO VOCÊ PODE IMAGINAR, meu estado de espírito estava bem longe do ideal, quando enfim chegou a hora do nosso tão esperado reencontro.

Com toda a sinceridade, eu não estava nem um pouco animado com a reunião. Sentia-me um tremendo fracassado por não ter conseguido colocar em prática as grandes lições de liderança que havia aprendido na semana em que estivéramos juntos, dois anos antes.

Estava envergonhado por ter de encarar meus colegas de turma, sem ter tomado jeito.

E estava mortificado pela perspectiva de encontrar Simeão e enfrentar o que eu tinha certeza de que seria sua grande decepção comigo.

Por fora, as coisas pareciam ir muito bem. Ótimo emprego, casa grande, carro do ano, esposa bonita, dois filhos no ensino médio, jantares em bons restaurantes e viagens de férias todos os anos.

Era como se eu estivesse vivendo o sonho americano. E, acredite, eu me esforçava muito para dar a impressão de que estava com tudo em cima.

"Cara, você está mesmo com a bola toda!" Era assim que meu cunhado descrevia minha vida.

Mal sabia ele que as coisas quase nunca são o que parecem.

Nas semanas seguintes ao retiro, eu me saí muito bem. Voltei cheio de energia para dar a devida atenção a minha família e equipe de trabalho. Estava disposto a ouvir com interesse o que tinham a dizer e assim melhorar nossa cumplicidade, nosso entrosamento e, no caso da empresa, nossos resultados. Vários de meus familiares, amigos e colegas ficaram impressionados em ver como eu estava mais envolvido, animado e cheio de ideias. Todos elogiavam a transformação que vinham observando em mim.

Aos poucos, porém, ao enfrentar uma série de problemas no trabalho e em casa, comecei a recair nos velhos hábitos. Na fábrica, além de atrasos e erros de produção, perdemos no mesmo mês um de nossos melhores gerentes e nosso terceiro maior cliente, o que gerou muita tensão. Voltei a ter dificuldade em ouvir os outros, sobretudo se expressavam ideias diferentes das minhas. Sentia uma enorme irritação e impaciência quando os resultados não correspondiam às minhas expectativas.

As nuvens escuras voltavam a se acumular. Um dos meus pares, dirigente de uma fábrica parceira da nossa, me alertou para o fato de andar ouvindo boatos de que a empresa não estava satisfeita com meu desempenho.

"Emocionalmente imaturo": foi esse o rótulo que um burocrata do setor de RH da empresa atribuiu a mim, mas o que eles entendiam a respeito de dirigir uma operação de milhões de dólares?

Para completar, duas semanas antes do nosso reencontro no mosteiro, meu chefe tinha-me colocado num plano de aprimoramento de desempenho, o que significava, basicamente, que eu teria 120 dias para me reorganizar, caso contrário, eles procurariam um novo gerente geral para a fábrica.

Em casa, a situação também foi se deteriorando. Eu e minha mulher, Rachel, chegamos até a cogitar uma "separação temporária". Não fosse por nossos dois filhos, tenho certeza de que já teríamos desistido.

Meu filho, John Jr., agora com 16 anos, passara de adolescente barulhento e rebelde a um introvertido extremado, que gastava todo o seu tempo livre surfando por só Deus sabe que sites da internet ou jogando videogames violentos. Seu desempenho escolar havia despencado para um punhado de notas baixas, e ele só manifestava interesse em mergulhar de cabeça em coisas cibernéticas. Seu comportamento estranho começava a me assustar um pouco.

Bem mais do que um pouco.

Minha preciosa filha, Sara, chegara aos 14 anos, e meus olhos ainda se enchem de lágrimas quando penso nela pequena e na nossa deliciosa relação de pai e filha. Agora Sara andava com um grupo que só se vestia de preto e usava maquiagem pesada nos olhos. Nosso relacionamento ficara reduzido a uma linguagem monossilábica (oi, tchau, tá, não!, hum...).

A última vez que ela efetivamente falara comigo sobre alguma coisa substancial tinha sido ao anunciar que ia tatuar um dragão nas costas, supostamente numa representação de força, coragem ou outra besteira similar.

– Filha minha não vai fazer tatuagem nenhuma enquanto morar nesta casa. E fim de papo! – declarei, com um murro na mesa de jantar, para dar maior ênfase ditatorial.

– Então tá – foi a resposta dela (embora eu tenha de admitir que fiquei satisfeito por ouvi-la enunciar pelo menos três sílabas).

Em menos de uma semana, Sara gingava para lá e para cá, exibindo abertamente a tatuagem, e, de quebra, uma argola no nariz, para dramatizar sabe-se lá qual afirmação. As duas semanas de castigo que recebeu por essa estupidez serviram apenas para deixá-la mais insolente e distante.

Com tudo isso acontecendo, não é difícil perceber por que eu não estava num estado de espírito favorável para o reencontro.

Mais uma vez, Rachel me incentivou muito a ir para o retiro, o que quase liquidou a ideia, porque fiquei tentado a não ir, só para contrariá-la.

No fim, eu me resignei e decidi fazer a viagem para o reencontro, enfrentar meus colegas de turma e minha humilhação.

Ao dar a partida no carro, naquela ensolarada quinta-feira de outubro, para encarar as seis horas de viagem até o norte de Michigan, eu simplesmente não conseguia acreditar na situação em que me achava.

Um verdadeiro fracasso.

CAPÍTULO 2

Regresso

*O fracasso não é a queda,
e sim a permanência no chão.*
— Mary Pickford

Apesar de me sentir deprimido, a paisagem diante do para-brisa serviu para me animar.

Na minha opinião, o noroeste da península inferior de Michigan é um dos lugares mais fascinantes do mundo, especialmente durante o outono.

Acelerei pela autoestrada, passando pela pitoresca cidade de Frankfort, antes de cruzar a ponte do estreito que separa em "pequeno" e "grande" o lago Glen, o mais lindo lago de água doce do planeta. Do lado esquerdo, o sol dourado se punha atrás da enorme duna conhecida como Escalada da Duna, um destino turístico popular e um desafio que venci muitas vezes quando menino.

Alguns quilômetros adiante, virando para o norte, entrei na estrada Port Oneida, em direção a Pyramid Point. Já estava escuro, por isso segui devagar por uns três quilômetros, procurando a trilha de mão dupla que levava ao mosteiro.

Por pouco não deixei escapar o poste da cerca, situado à esquerda, num ponto alto à margem da estrada, com sua simples placa de madeira onde se viam entalhadas as palavras João da Cruz.

Eu estava de volta.

Assim que saltei do carro, fui tomado pela sensação de estar sozinho, talvez provocada pela visão do terreno completamente deserto. Por sorte, o sentimento foi atenuado pelo som encantador do farfalhar das folhas secas de outono, misturado ao das ondas que quebravam na praia do lago Michigan, lá embaixo, na escuridão. Dois dos meus sons favoritos.

Entrei no prédio e peguei o bilhete preso com fita adesiva no balcão da recepção.

> *Saudações, meu amigo John!*
> *Aguardo com grande expectativa o tempo que passaremos juntos. Você terá seu próprio quarto neste fim de semana – o n.º 2, no andar de cima (lembro que você gosta de ter um quarto só para si).*
> *Começaremos às oito da manhã, em ponto, na sala principal de treinamento em que nos reunimos da última vez.*
> *Amo você, John.*
>
> *– Simeão*

Minhas primeiras sensações foram de alegria por ter meu próprio quarto (era muita gentileza de Simeão ter se lembrado disso) e de mal-estar pelo "amo você" que encerrava o bilhete.

Posso contar nos dedos da mão, ainda com sobra, o número de homens que me disseram isso durante a vida. E, em todas as ocasiões, a sensação foi de grande desconforto. Por que isso?

Ao desfazer a mala e me preparar para dormir, notei que meu desânimo fora substituído por um sentimento que havia um bom tempo eu não experimentava. Era o mesmo que eu tivera, sentado no estacionamento, à espera da chegada de Rachel para me buscar, depois do retiro realizado há 26 meses.

Esperança.
Dessa vez, quem sabe, eu haveria de "achar Simeão e ouvi-lo".
Ouvi-lo de verdade.

ESPERANÇA DEVE SER UMA COISA BOA porque dormi melhor do que vinha dormindo em meses.
Como de costume, levantei cedo, vesti-me depressa e saí. O alvorecer era visível no horizonte distante, e uma brisa leve e fria soprava do oeste, vinda do grande lago quase invisível.
Como eu me lembrava, o terreno do mosteiro ficava centenas de metros acima do lago Michigan. Meia dúzia de construções pequenas e médias de madeira cercava a capela que era, obviamente, o ponto principal do lugar.
A velha capela hexagonal de madeira permanecia tal como eu a recordava, com as seis paredes convergindo no centro para formar a torre, em cujo ápice fixava-se uma grande cruz. Lindos e intrincados vitrais, retratando diferentes cenas bíblicas, podiam ser vistos em cada um dos seis lados. Era uma estrutura simples, mas elegante.
Olhei de relance para o imenso lago lá embaixo, senti o cheiro das folhas de outono e ouvi o murmúrio da água. Minha visão periférica detectou um movimento mais abaixo, e vi um ponto minúsculo caminhando na beira da praia.
Meu coração palpitou.
Seria Simeão?

PARA MINHA SURPRESA, EU ME VI DESCENDO em disparada os numerosos e antigos degraus que levavam à praia. Ao chegar ao terreno plano, mal pude acreditar que estava de fato correndo em direção à silhueta. Correndo para cumprimentar alguém? Só em outra ocasião da minha vida eu me lembrava de ter feito tamanha tolice. E tinha sido ao correr para esse mesmo homem, uns dois anos antes.

– Simeão! – gritei. – É você?

O homem alto, de túnica com capuz, virou-se devagar. Eu havia esquecido o impacto que causava a sua presença. Simeão não parecia ter envelhecido e ainda estava em ótima forma, o corpo esguio e rijo. Apesar da cabeleira branca como a neve, ele parecia ter sessenta e poucos anos, no máximo, em vez dos seus reais 84.

Tal como antes, o que mais me impressionou foram seus penetrantes olhos azuis. Eram, sem dúvida, os olhos mais acolhedores e amorosos que eu já tinha visto. Minha reação imediata foi sentir-me totalmente desarmado e em completa segurança.

– Como vai o meu bom amigo? – perguntou ele, antes de me dar um abraço apertado.

De forma repentina e inesperada, aconteceu outra coisa rara.

Eu desatei a chorar.

Todos os meus esforços para conter o fluxo das lágrimas foram inúteis. Tentei responder à pergunta do professor, mas não consegui falar uma só palavra.

Simeão e eu caminhamos em silêncio para a escadaria, com seu braço envolvendo meus ombros com firmeza, e subimos juntos os 243 degraus. No alto, sentamos lado a lado num banco, e foi como se eu tivesse corrido uma maratona, de tanto que estava sem fôlego por causa da subida. Simeão não estava nem um pouco ofegante.

Ficamos sentados por um tempo, até surgirem algumas palavras.

– Simeão, eu me sinto um tremendo fracasso! O retiro há dois anos foi um dos pontos altos da minha vida, e eu tinha certeza de que ela mudaria para melhor. Nos primeiros meses, foi tudo ótimo, mas agora está pior do que nunca.

O professor não fez perguntas nem pediu esclarecimentos. Nada. Apenas ficou sentado ali, me olhando atentamente e absorvendo cada palavra, como se nada no mundo fosse mais importante para ele do que aquele momento sentado ao meu lado.

– Por que eu não mudei, Simeão? – perguntei. – Eu confiei em tudo o que nos foi ensinado sobre liderança, sobre servir aos outros, construir relacionamentos e todas aquelas coisas geniais. Por que as mudanças duraram tão pouco?

Simeão apenas continuou a me olhar fundo nos olhos, com uma expressão de completa compaixão e aceitação. Era um olhar tão penetrante que tive dificuldade de sustentá-lo.

– Você não está dizendo nada, Simeão – deixei escapar num impulso, meio irritado com o silêncio dele. – No que está pensando?

O professor sorriu.

– Só em como estou contente por você estar aqui, John.

PRIMEIRO DIA

REVENDO CONCEITOS

CAPÍTULO 3

Reencontro

O bem-feito é melhor do que o bem falado.
— BENJAMIN FRANKLIN

O PROFESSOR E EU PASSAMOS algum tempo em silêncio, até ele tocar de leve em meu braço e murmurar:
— Precisamos ir andando para encontrar os outros.

Rumamos para o prédio principal e entramos na sala em que havíamos nos reunido para nossas sessões de retiro, dois anos antes.

A sala de tamanho médio continuava do jeito que eu recordava. Aconchegante e acolhedora, era inteiramente acarpetada, com estantes feitas à mão e lindas peças de marcenaria por toda parte. Os assentos consistiam em dois sofás velhos mas confortáveis, uma cadeira de balanço e várias cadeiras de madeira de espaldar alto (com o assento estofado, graças aos céus) espalhadas por diversos pontos.

O lado esquerdo da sala, de frente para o lago Michigan, tinha janelões que descortinavam a vista espetacular do lago. No centro da parede, ficava uma enorme lareira de pedra, com um fogo crepitante, alimentado por perfumadas toras de bétula-branca. O fogo foi eliminando rapidamente da sala a friagem matutina, enquanto o velho carrilhão num canto fazia soar as badaladas da meia hora, indicando que eram sete e meia.

Nos trinta minutos seguintes, os outros cinco integrantes do Bando dos Sete foram entrando, e a cada nova chegada havia na sala exclamações de entusiasmo, abraços e beijos.

Chris, alta e negra, treinadora do time de basquete da Universidade de Michigan, foi a primeira a chegar. Continuava uma mulher atraente e cheia de vitalidade. Em seguida, entrou Teresa, diretora de uma escola pública, e percebi que nos dois últimos anos haviam surgido fios brancos em seus cabelos, suavizando sua fisionomia. Ao seu lado vinha Kim, a enfermeira, com seu jeito tímido e discreto. Quando entrou Lee, o pastor que fora meu cordial companheiro de quarto no retiro anterior, eu me surpreendi com sua expressão contraída e fechada. Greg, o sargento, foi o último a chegar, e notei uma mudança nítida em sua atitude. Não havia nele a postura arrogante e defensiva que exibira havia dois anos.

Todos se mostraram empolgados e felizes por se reencontrarem. Nunca fui muito chegado a abraços, mas lá estava eu, no meio dos outros, trocando os mais apertados. Em termos da nossa ligação afetiva, foi como se o tempo não tivesse passado, o que nos permitiu retomar o contato no ponto onde havíamos nos separado, dois longos anos antes.

De repente, o carrilhão fez soar a primeira de oito badaladas.

Lembrando que Simeão era um rigoroso defensor da pontualidade, corremos para ocupar nossos assentos.

SIMEÃO COMEÇOU COM UMA RECAPITULAÇÃO de sua vida desde o nosso último encontro e sugeriu que cada um fizesse o mesmo.

Fiquei comovido com sua profunda disposição de compartilhar. Ele falou abertamente de suas alegrias, frustrações, realizações e batalhas, com absoluta transparência e franqueza.

Meu companheiro de quarto do primeiro retiro – Lee, o pastor, que viera de Pewaukee, no estado de Wisconsin – foi o primeiro a se oferecer para falar e expôs apenas alguns fatos corriqueiros de sua vida. Infelizmente, o resto do grupo seguiu o mesmo padrão. Ninguém descreveu os efeitos que o primeiro retiro causara, nem mencionou dificuldades, avanços ou retrocessos.

Teresa, a diretora, disse que tinha se transferido para um grande distrito interurbano de escolas públicas em Detroit. Depois dela veio Kim, a enfermeira, contando que continuava a exercer a enfermagem no Hospital Providence, no sul do estado.

Chris declarou ser agora a principal treinadora de basquete feminino da Universidade Estadual de Michigan. Anunciou com orgulho que seu time havia chegado às semifinais do campeonato nacional na primavera anterior, o que nos levou a aplaudi-la entusiasticamente!

Com precisão militar, Greg, o sargento, falou-nos sobre sua recente promoção a sargento de pelotão em Fort Campbell, no Kentucky, onde chefiava principalmente veteranos de combate que voltavam do Iraque ou do Afeganistão, muitos deles após múltiplos períodos de serviço. Isso também provocou uma salva de palmas do grupo.

Na ocasião, achei estranho que, apesar do exemplo de profundidade, humildade e transparência com que o professor contara sua experiência, cada integrante tivesse resolvido abordar de modo superficial o que vivera naquele período, concentrando-se apenas no trabalho e nas realizações.

Quando o sargento terminou, todos os olhares pousaram em mim. Senti o sangue subir para o pescoço e o rosto, enquanto a sala começava a girar devagar. Meus olhos se encheram de lágrimas e baixei a cabeça, sem conseguir dizer nada.

– O gato comeu sua língua? – zombou o pastor.

Logo me dei conta de alguém sentado ao meu lado no sofá e, como estava olhando para o chão, notei os sapatos pretos reluzentes que obviamente pertenciam ao sargento. Para meu assombro, ele pôs o braço em volta dos meus ombros.

Uma verdadeira história de terror.

Chorar na frente daquela gente toda! Aquilo não podia estar acontecendo comigo. Certo de estar no meio de um pesadelo, dei um beliscão forte no braço, na vã tentativa de me acordar.

Passados alguns segundos constrangedores, felizmente, a treinadora perguntou sobre a programação do fim de semana.

– Estive pensando na mesma coisa, Chris – respondeu Simeão. – O que será que o nosso grupo gostaria de realizar neste fim de semana?

– Você é quem manda – reagiu o pastor, com o que me pareceu um tom sarcástico e inadequado. – Você é que deve nos dizer. O show é seu.

Ignorando a grosseria dele, o sargento propôs:

– Eu gostaria de voltar a explorar o conceito de liderança, especificamente a ideia de liderança servidora. Eu me beneficiei muito do nosso retiro de dois anos atrás.

De repente, sem mais nem menos, deixei escapar:

– Eu queria poder dizer o mesmo, Greg! Passamos uma semana inteira aqui e ouvimos lições incríveis sobre liderança e vida. Quando voltei para casa, comecei bem, mas logo retomei meus velhos hábitos e modos de agir. Sinto vergonha de dizer que, em matéria de relacionamentos nas áreas principais da minha vida, estou pior do que há dois anos. E olhe que eu estava bem mal naquela época.

– Obrigado por compartilhar isso – agradeceu Simeão, em tom sincero. – É muita franqueza. Sinto orgulho de você, John. E desconfio que não foi o único a ter dificuldades. No nosso retiro, passamos muito tempo falando e aprendendo sobre liderança, e todos vocês saíram daqui empolgados com o futuro.

Quantos podem dizer, sinceramente, que tiveram mudanças significativas na vida, como resultado do que discutimos naquela semana?

Esperando que todos levantassem a mão, menos eu, corri os olhos pela sala, assombrado.

Havia uma única mão erguida.

E fiquei ainda mais chocado ao descobrir que essa mão solitária era a da pessoa de sapatos reluzentes, sentada ao meu lado no sofá.

Fiquei pasmo.

Eu não estava só.

– VOCÊS ESTÃO QUERENDO ME DIZER que o único que teve uma mudança real e profunda foi o Greg? – esbravejou o pastor, incrédulo. – Se me lembro bem, o nosso sargento aqui era o mais crítico e cético de todos!

– É verdade! – rebati, sem conseguir esconder minha irritação com os ataques verbais do pastor. – Mas a diferença entre você e o sargento é que, provavelmente, ele voltou para casa e conseguiu botar os princípios em prática. Você ainda deve estar orando para conseguir isso! Lembra do que foi dito, Lee? Intenção menos ação é igual a zero. Ou será que esqueceu?

De onde vinha aquela raiva? Fiquei surpreso comigo mesmo.

– Qual é o seu problema? – retrucou o pastor.

Houve uma pausa longa e constrangida.

Eu comecei a me sentir culpado pela crítica severa ao Lee, quando a enfermeira nos salvou, quebrando o silêncio:

– Por que será que não mudamos, Simeão? Para ser franca, cheguei a ter pavor de voltar e rever vocês, porque estava com muita vergonha de não ter mudado como achava que deveria.

A maioria dos outros balançou a cabeça, em sinal de concordância.

– Vocês não devem se sentir culpados – disse Simeão. – Os conceitos que discutimos em nosso retiro anterior são muito poderosos, mas uma coisa é conversar sobre eles, outra é colocá-los em prática.

– Eu gostaria de fazer uma sugestão – prosseguiu Kim, em voz baixa. – Por que não falamos um pouco sobre mudança e sobre a razão de apenas um de nós ter conseguido efetivamente aplicar os princípios de liderança?

– Boa ideia – aprovou a treinadora. – Mas também gostaria que começássemos recapitulando esses princípios. Lembrem-se que, da última vez, Simeão nos ensinou que relembrar é tão importante quanto aprender.

– Isso é bom, Chris – concordou a diretora. – Mas eu também gostaria de discutir as ideias de Simeão sobre a forma de criar e manter uma equipe e uma cultura de alto desempenho. Eu tenho tido muita dificuldade com isso.

– Se a sua definição de equipe e cultura inclui família e casamento, pode contar comigo – reagi. – Preciso de toda a ajuda que puder conseguir.

Outras pessoas da sala concordaram.

Após um minuto de silêncio, Simeão resumiu:

– O que estou ouvindo é que vocês querem fazer três coisas neste fim de semana: a primeira é reaprender e redescobrir os antigos princípios da liderança servidora que vimos no retiro anterior. A segunda é discutir os passos necessários para colocar em prática e manter esses princípios na nossa vida. E a terceira, examinar como construir uma equipe e uma cultura de alto desempenho. É o que eu gosto de chamar de "construção da comunidade". Vocês concordam?

Todos acenaram com a cabeça num gesto afirmativo.

CAPÍTULO 4

Responsabilidade

Liderança não é um cargo – é uma responsabilidade.
– PETER DRUCKER

SIMEÃO COMEÇOU IMEDIATAMENTE.
– Como acabamos de concordar, nossa primeira tarefa é rever os fundamentos da liderança. Talvez vocês achem que estaremos apenas repetindo o que foi dito há dois anos. Mas tenham certeza de que isso é necessário e extremamente eficaz, porque temos estruturas muito rígidas que resistem à mudança. Sugiro que cada um de nós compartilhe com os outros dois aspectos importantes da liderança. Estão de acordo?
– Você é quem manda! – retrucou o pastor.
Apesar da irritação que todos sentiam em relação ao Lee, o grupo resolveu fingir que estava tudo bem e seguiu adiante, polidamente.
Simeão postou-se na extremidade da sala, junto a quatro quadros grandes e brancos, apoiados em cavaletes separados. Deslocou-se para o último à esquerda e disse:
– Vamos começar pela definição dos termos. Alguém se lembra de como definimos a liderança há dois anos?
– Acho que guardei isso nas minhas anotações, Simeão – respondeu a diretora, rolando rapidamente as anotações do seu celular.

Sempre fico admirado com o que certas pessoas são capazes de fazer com esses aparelhos! Mal consigo completar uma ligação.

Enquanto a diretora lia, o professor escreveu:

Liderança = Habilidade de influenciar pessoas para que trabalhem com entusiasmo por objetivos identificados como voltados para o bem comum.

Simeão deu um passo atrás.
– Ótimo, obrigado, Teresa. Em termos simples, liderança é a habilidade de inspirar e influenciar as pessoas para a ação e a excelência. Tomando essa definição como base, vamos compartilhar o que cada um de nós acredita serem duas facetas importantes dessa habilidade fundamental chamada liderança. Quem quer ser o primeiro?

– Para mim – propôs a enfermeira – a grande lição que aprendi no nosso retiro anterior foi que a liderança é uma enorme responsabilidade.

Simeão escreveu no segundo quadro:

Liderança = Enorme responsabilidade.

O professor desafiou:
– Alguém pode colocar isso em termos mais concretos?
A diretora tornou a falar:
– Eu sei que vocês implicam comigo por conta disso, mas gosto mesmo de citações. Um dos meus gurus favoritos em matéria de liderança é Max DePree, e adoro quando ele diz que liderar é envolver-se seriamente na vida dos outros.

– Excelente, Teresa! – incentivou-a Simeão. – Envolver-se seriamente traduz bem a ideia. Quando eu trabalhava como executivo, sempre dizia à minha equipe que os empregados ficam no trabalho durante metade das horas que passam acordados. Imaginem! As pessoas passam mais tempo com o pessoal do trabalho do que com a própria família.

– E pensem no papel da liderança no casamento – acrescentou a enfermeira. – Uma pessoa assina um contrato de vida com você! Um contrato que pretende ser permanente, embora eu ache que hoje em dia é muito fácil pular fora. Que responsabilidade enorme!

– Ou na responsabilidade dos pais – acrescentou o pastor. – Se a pessoa é minha mãe ou meu pai, estou amarrado a ela pelo resto da vida! Não tenho como sair dessa!

O sargento foi o seguinte a falar:

– E nós escolhemos assumir essa responsabilidade colossal, sem nos darmos conta do que isso representa! Ninguém nos mandou fazer isso. Somos livres para ir embora. Ninguém nos obriga a receber salário, casar, ter filhos, nem a nos tornarmos treinadores ou exercermos qualquer dos outros papéis de liderança que escolhemos por livre e espontânea vontade. Ainda que não tenhamos plena consciência, nós nos propomos a fazer uma coisa que envolve enorme responsabilidade quando aceitamos ser líderes. Acho que liderar é uma vocação muito elevada.

A treinadora acrescentou:

– Li recentemente um livro sobre um grande treinador de basquete da Universidade da Califórnia em Los Angeles, o falecido John Wooden. Ele chamava a liderança de missão sagrada. E como isso é verdade! São seres humanos confiados aos nossos cuidados durante períodos maiores ou menores de suas vidas. Pensar nisso é um exercício de humildade.

— Ser chefe é uma vocação elevada? Uma missão sagrada? — reagiu o pastor, parecendo cético. — Acho que uma vocação elevada, uma missão sagrada é ser missionário ou membro do clero. Não vamos exagerar.
— Exagerar, senhor? — contrapôs o sargento. — Posso passar uma hora por semana sentado numa igreja, ouvindo a pregação de alguém, sem que isso cause qualquer impacto na minha vida. Mas, como disse o Simeão, fico preso ao meu chefe durante metade das horas em que estou acordado. Pense no impacto que o chefe pode ter nas pessoas! Deixe-me perguntar ao grupo: quantos de vocês já trabalharam para um chefe ruim?

Todas as mãos (exceto a do pastor) ergueram-se imediatamente.

Greg prosseguiu:
— Esse chefe ruim afetou a sua vida? Eu tive uma oficial comandante terrível, que quase acabou comigo. Não conseguia nem dormir à noite. O comportamento dessa mulher afetava a minha vida inteira. Se vocês já trabalharam para um superior ruim, sabem o que eu quero dizer. Se a pessoa tem um chefe péssimo, o trabalho dela é péssimo. Estou exagerando? Não, acho que não.

A diretora quis participar:
— Os jovens de hoje têm pouca tolerância com os maus chefes. Vocês leram sobre a pesquisa que levantou o número enorme dos que se demitem das organizações? Ela mostrou que dois terços dos jovens que saem não estão se demitindo da empresa. Estão se demitindo do chefe.

A treinadora se apressou em concordar:
— Com certeza! Essa garotada pede demissão com a maior facilidade, muda-se para o outro lado do país e vai trabalhar para uma grande empresa que "sabe das coisas". Você tem observado isso nos jovens, ultimamente, Teresa?

– E como! – exclamou a diretora. – Esses jovens de agora são diferentes, muito diferentes. Eles se tornaram céticos em relação às pessoas que ocupam lugares de poder e não hesitam em dizer o que pensam. Quando alguém manda "Faça isto, senão...", a reação deles é: "De que planeta você veio, cara?" Pelo menos, essa é a reação dos melhores e dos mais inteligentes. Suponho que os medíocres se acomodem. Mas, quando os melhores concluem que o chefe não sabe das coisas, eles seguem em frente.

A treinadora acrescentou:

– No meu primeiro cargo como assistente na universidade, meu mentor me ensinou um teste para avaliar o grande treinador. É o seguinte: os seus jogadores melhoraram o padrão de jogo por terem passado umas temporadas com você? E não são só as habilidades no jogo, mas também se melhoraram como seres humanos.

– Adoro esse teste! – exclamou o sargento, entusiasmado. – As pessoas são melhores ao partir do que quando chegaram? Que teste genial! Se você quiser saber como está se saindo como líder, a resposta está nas pessoas que você lidera. Basta observá-las.

– Ou nas empresas – acrescentei, timidamente, sentindo-me hipócrita. – Os seus empregados vêm sendo promovidos? São solicitados por outros departamentos e até por outras empresas? A carreira deles será melhor por terem convivido com você?

– Ou na família – interpôs o pastor, parecendo ter entendido subitamente. – Quando os filhos saírem de casa, estarão prontos para o mundo? Estarão preparados para ser bons pais, vizinhos, cidadãos, empregados e líderes? Contribuirão efetivamente para melhorar a sociedade?

– Ótimas observações, pessoal! – declarou Simeão, satisfeito. – Estou convencido de que é exatamente assim que começa a liderança servidora. Não quando nos concentramos nos nossos *direitos* de liderança, mas nas nossas *responsabilidades* de liderança.

– Concordo plenamente, Simeão – disse o sargento. – E como líderes, nossa responsabilidade é servir aos que são confiados aos nossos cuidados. Também é por isso que eu acho crucial os líderes de vez em quando se recolherem para refletir, avaliar seu comportamento e se renovar com essa verdade. Liderar é servir. Isso exige muitas coisas.

Comecei a sentir que baixava sobre mim aquela velha sensação de tristeza e derrota. Veio vindo um conhecido aperto no peito, quando refleti sobre todos os papéis de liderança nos quais eu "me inscrevera" como chefe, pai, marido, filho, amigo, vizinho...

Você deixa as coisas melhores do que as encontrou? As pessoas se aperfeiçoam por causa do convívio com você?

Era claro que eu estava sendo reprovado no teste.

CAPÍTULO 5

Influência

A liderança é um processo de influência.
— KEN BLANCHARD, autor de *O gerente-minuto*

— KIM, QUAL É A SUA SEGUNDA contribuição sobre a liderança? — perguntou o sargento, educadamente, com um largo sorriso. Havia algo muito diferente nele.

Eu me lembrava do Greg no primeiro retiro como um militar arrogante, que chegava a ser inconveniente. Embora ainda parecesse confiante e até convencido, havia nele uma mudança visível. Fiquei pensando que gostaria de me aprofundar nisso

— Bem, deixe-me ver — respondeu a enfermeira, sorrindo e olhando para ele. — Eu diria que é a influência, já que essa foi uma das palavras principais na nossa definição da liderança. Eu me refiro ao fato de que todos nós exercemos influência e impacto nas pessoas e nos grupos de que participamos, e podemos escolher influenciá-los de forma positiva ou negativa. Acho que o que estou dizendo é que todos nós deixamos uma marca nos outros.

Sempre pronto a incentivar, Simeão adorou.

— Excelente, Kim! — e fez a anotação no quadro:

Liderança = Influência

– Obrigada por esse lembrete sobre a influência, Kim – falou Teresa. – Acabei de consultar o dicionário no meu celular, e ele define *influência* como algo que impacta ou afeta a natureza, o desenvolvimento, o estado de alguém ou de alguma coisa.

– Na época em que eu dirigia empresas – disse o professor –, costumava lembrar às pessoas de todos os níveis hierárquicos que elas eram líderes, porque sempre exerciam influência e impacto nas outras. Clientes, fornecedores, elas mesmas. Você tem razão, Kim. Todos deixamos uma marca.

– É engraçado você dizer isso, Simeão – reagiu o pastor. – Na juventude, quando eu dirigia uma colônia de férias, antes de me tornar pastor, li muito sobre Herb Kelleher, que fundou a Southwest Airlines, um exemplo clássico de organização que adota a liderança servidora.

– Quer dizer que você teve uma vida antes de entrar no cemitério? – brincou o sargento, sorridente.

– É seminário, Greg – retrucou o pastor, sem sorrir.

– Dá na mesma – tornou a brincar o sargento (pelo menos, achei que ele estava brincando).

– Ótimo, pois seja. Como eu ia dizendo, Herb Kelleher costumava dizer que os principais líderes da Southwest eram os comissários de bordo, porque eles influenciavam milhares de clientes da empresa todos os dias. Gente com quem Kelleher nunca se encontraria.

A enfermeira pareceu impelida a falar:

– Gosto dessa ideia. Nossa liderança é a marca que deixamos nas organizações e nas outras pessoas. Todos deixamos marcas, sejam elas boas ou más. Por isso, a pergunta não é se o sujeito é um líder. A pergunta certa é: "Você é eficaz? As pessoas ficarão felizes por terem convivido com você?"

– Ótima colocação, Kim! – exclamou a treinadora. – Seus empregados vão ficar mais felizes? Sua família? Seus vizinhos?

Sua igreja? As pessoas da sua equipe ficarão felizes por conviver com você?

A diretora concordou:

– Basta pensar em todas as pessoas que exerceram influência sobre nós durante a vida: pai, mãe, avós, irmãos, demais parentes, professores, vizinhos, amigos, colegas de trabalho. Para mim, é uma lição de humildade e inspiração o número de pessoas que me influenciaram ao longo da vida. Por isso, uma pergunta importante para um líder é: "Você deixa as pessoas e organizações em melhores condições do que as que encontrou?"

– Todo mundo é líder? – questionou o pastor, suas palavras impregnadas de ceticismo (ou seria cinismo?). – Acho que deve haver apenas uma pessoa no comando. Tudo que tem duas cabeças costuma ser um monstro.

O professor o contestou:

– As organizações realmente saudáveis não são dependentes de um único líder. Não é preciso ser chefe para liderar.

– Ora, isso é uma loucura! – exclamou o pastor. – O termo que se usa para os grupos sem líder é anarquia.

– Não, Lee – corrigiu-o Simeão, com delicadeza. – Não se trata de um grupo sem líder. É um grupo todo constituído de líderes, em que cada um assume a responsabilidade pelo sucesso da equipe.

– Como é que todos podem ser líderes? – perguntou o pastor, com um pouco menos de arrogância. – Como seria feito o trabalho?

– Por um grupo todo de líderes, *com responsabilidades diferentes* – observou a diretora, pensativa. – O chefe continua exercendo seus deveres e responsabilidades específicas, assim como as outras pessoas da equipe. Mas o que estou entendendo é que, em um grupo de líderes, todos assumem a responsabilidade individual pelo sucesso do conjunto, influenciando e inspirando os outros a cumprirem seus deveres da melhor maneira possível.

Fiquei impressionado:

— Falou bem, Teresa!

— Preciso pensar nisso — resmungou o pastor.

— Pois trate de pensar, Lee — retruquei.

O grupo passou alguns momentos num silêncio constrangido, até que o professor nos liberou para nosso intervalo matinal de uma hora.

A TREINADORA, A ENFERMEIRA E EU fomos ao refeitório buscar um café e alguma coisa para comer. No caminho, começamos a conversar.

— Que tal a aula, até agora? — perguntou Kim, sem se dirigir a ninguém em particular.

— Até aqui, tudo bem — apressei-me a responder. — Mas o Lee está me dando nos nervos.

— É, sei o que você quer dizer — concordou Chris. — Ele está insuportável com aqueles comentários inconvenientes. Um pastor devia se comportar melhor.

— Fiquei surpreso com Simeão por ele não dizer nada — acrescentei, em tom irritado. — Para quem foi um líder tão fabuloso no mundo lá fora, não devia deixar isso acontecer.

— É, não sei direito se ele está sendo o melhor modelo de liderança para nós — concordou a treinadora.

Olhei para a enfermeira, que baixara os olhos para seu lanche e parecia bastante constrangida. De repente, ela se levantou e pediu licença para se retirar da mesa.

— Está tudo bem, Kim? — perguntou a treinadora.

— Só estou meio incomodada com essa conversa, por isso vou voltar. Vejo vocês na aula.

— O que foi que deu nela? — perguntou a treinadora.

– Sei lá – respondi, sem fazer a menor ideia do que podia ter acontecido.

Pedi licença, dizendo à treinadora que precisava achar Simeão antes do fim do intervalo. Encontrei-o sentado num banco, de frente para o imenso lago azul e as dunas de areia. Sentei-me a seu lado, e ele virou-se e fitou-me atentamente nos olhos.

– O que houve, John?

– As coisas não andam muito bem no meu casamento, Simeão – respondi, com voz trêmula, as lágrimas começando a se acumular em meus olhos.

– Lamento muito saber disso, John.

– Eu me sinto um tremendo fracasso. Se não sei nem lidar com o casamento, imagino que devo ser um fiasco também como líder.

– De que maneira as coisas de que falamos hoje se aplicam ao seu casamento, John?

– Bem, eu faço o que posso! – retruquei, defensivo. – Hoje nós falamos de responsabilidade, e eu realmente acredito estar fazendo a minha parte. Pago as contas de casa, evito aventuras amorosas e procuro ser um pai presente na vida dos meus filhos. Quer dizer, eu faço a minha parte, Simeão. Rachel também tem que contribuir. Afinal, casamento é meio a meio.

O professor riu e disse:

– John, seja quem for o gênio que disse isso, é provável que não tenha ficado casado por muito tempo! Um grande casamento, como qualquer grande organização, é 100% para cada lado. É um grupo de líderes com responsabilidades diferentes, inteiramente comprometidos com a união e dando tudo de si.

Incrédulo, olhei para Simeão, com vontade de discutir e defender minha posição.

Mas reconheci a verdade ao ouvi-la.

CAPÍTULO 6

Habilidade

Os líderes não nascem prontos, mas se fazem.
– VINCE LOMBARDI

DEPOIS DO INTERVALO MATINAL, o professor estava ansioso para seguir em frente.

– Kim dividiu conosco suas duas percepções sobre a liderança. Quem é o próximo?

A diretora levantou a mão:

– Eu me lembro de termos dito, há dois anos, que a liderança é uma habilidade. Hoje, você voltou a mencionar isso. Mas ainda estou meio cética. Eu acho que ou a pessoa tem esse dom, ou não tem.

O professor escreveu:

Liderança = Habilidade

Simeão virou-se para o grupo e indagou:

– E então, o que vocês acham? Os líderes nascem prontos ou são criados?

O sargento se remexia na cadeira, com ar de quem estava prestes a estourar. "Impelido a falar", eram as palavras que eu me lembrava de ter ouvido Simeão usar para descrever essa condição.

– Como foi afirmado – disse Greg finalmente –, a liderança consiste em inspirar e influenciar a ação das pessoas, e nós inspiramos e influenciamos os outros quando os servimos. E os servimos quando identificamos e satisfazemos suas necessidades legítimas. Isso não é um traço com que se nasça. É uma série de escolhas pessoais que fazemos diariamente e que acabam moldando nosso caráter. Liderança tem tudo a ver com caráter, e nosso caráter tem tudo a ver com as escolhas que fazemos. Se vocês acham que liderança é algo com que se nasça, nunca devem ter estado perto de uma criança de dois anos! Pensem nas qualidades essenciais dos grandes líderes, como autocontrole, capacidade de ouvir, de assumir responsabilidade, altruísmo, reconhecimento do outro, honestidade e demais traços de caráter de alto nível. Vocês já viram alguma criança de dois anos que manifeste todas essas qualidades?

– Quais são as características da natureza humana? – perguntou Simeão. – Creio que as crianças de dois anos as mostram claramente. Elas exigem "Primeiro eu!", o que é muito bonitinho nessa idade, mas nada nobre numa pessoa de vinte, quarenta ou sessenta anos. Conheci um número enorme de executivos, vestidos com ternos caros e sentados em escritórios com vista panorâmica. A aparência era de grande maturidade e importância, mas, em termos afetivos, continuavam sendo crianças que ficavam exigindo "Primeiro eu!". – O professor respirou fundo e concluiu: – Estou convencido de que só superamos essa tendência do "Primeiro eu!" se, ao crescermos, levarmos uma vida bem-sucedida e bem adaptada às demandas.

A diretora interveio:

– Vocês sabem como gosto de precisão nas palavras, por isso acabei de consultar no celular a palavra *habilidade*. Ela é definida como uma capacidade aprendida ou adquirida. Se a liderança é de fato uma habilidade, uma capacidade aprendida ou adquirida, isso significa que ela está ao alcance de todos nós.

— Todo mundo pode ser líder? Acho que não — retrucou o pastor desmancha-prazeres.

— Acho que a Teresa está certa — objetei. — Minha mulher, que é psicóloga, bate sempre na mesma tecla, dizendo que a mudança e o crescimento no caráter e nos relacionamentos são possíveis à maioria das pessoas, desde que não se tenha uma personalidade narcisista nem um distúrbio de caráter. Quem não sabe lidar com relacionamentos não é capaz de exercer a liderança. Porque liderança tem tudo a ver com gente e relacionamentos.

— Concordo, parceiro — disse o sargento. — É claro que a liderança é uma habilidade que pode ser desenvolvida! Caso contrário, de que adiantaria o sujeito ter aulas de liderança, ou se empenhar para ser o melhor possível? Sempre posso relaxar e culpar o meu DNA por minhas deficiências. Meu avô foi mau marido ou mau pai, e é por isso que sou mau marido ou mau pai. Meu pai era um péssimo chefe, e isso explica por que sou um chefe medíocre. Nunca recebi os genes certos da liderança. Quanta besteira!

— Acho que é isso mesmo, Greg — as palavras jorraram de mim. — Se você aceita que a liderança é uma habilidade, uma capacidade aprendida ou adquirida, não tem como escapar. A pergunta passa a ser: "O que você está fazendo para se aprimorar e evoluir para um nível superior?" Os seus empregados veem o seu crescimento? E os seus familiares? Você é um líder melhor hoje do que no ano passado?

Fiz uma pausa, pensando no que havia acabado de dizer, e concluí:

— Como podemos pedir às pessoas que nos foram confiadas, a nossos filhos, nossos empregados, a quem quer que lideremos, como podemos pedir que sejam o melhor que puderem, se não nos dispusermos a ser o melhor que pudermos?

Olhei para o chão. "Que hipócrita!", pensei com meus botões. Certamente eu sabia dizer todas as coisas certas sobre a liderança. Mas a realidade da minha vida era outra história, bem diferente.

Mesmo assim, continuei:

– Minha experiência no mundo empresarial tem me provado que, na verdade, não acreditamos que a liderança seja uma habilidade. Não acreditamos de fato que ela seja uma capacidade aprendida ou adquirida, como disse a Teresa.

A enfermeira pareceu curiosa:

– Por que você diz isso, John?

– Porque é a realidade. Quando chega a hora de promover alguém, simplesmente escolhemos a pessoa que se sai melhor numa tarefa e a indicamos para ser líder. Vocês todos já viram isso acontecer muitas vezes. Examinamos essa questão no outro encontro, mas vale a pena repetir. Pegamos o melhor operador de empilhadeiras e o transformamos no supervisor do depósito. Nessa hora, perdemos nosso melhor operador de empilhadeiras e ganhamos um supervisor terrível. Ou então, pegamos o melhor vendedor e o transformamos em gerente de vendas. Aí, perdemos nosso melhor vendedor e ficamos empacados com um péssimo líder. O simples fato de alguém saber executar uma tarefa não significa que ele saiba liderar outras pessoas com eficiência.

O professor pareceu satisfeito:

– Boa colocação, John. A liderança é um conjunto de habilidades completamente diferente. O fato de você saber executar tarefas não significa que saiba inspirar e influenciar outras pessoas na conquista da excelência.

Em tom solene, acrescentei:

– Só para vocês saberem, eu posso parecer muito entendido na questão da liderança, mas colocar em prática é outra história. Minha habilidade não está nem perto de onde precisaria estar.

Simeão fixou os olhos em mim com ar satisfeito, o que fez com que eu me sentisse melhor. Depois, prosseguiu:

– Conheci dezenas de gerentes, executivos e oficiais militares que tinham lido todos os livros e participado de todos os seminários, mas nunca incorporaram as habilidades de liderança na vida deles. A verdade é que se pode saber tudo sobre a liderança sem nunca saber liderar.

– É uma grande verdade, Simeão – disse o sargento. – Somos capazes de saber tudo sobre uma coisa sem jamais praticá-la. Minha comandante chama isso de ignorância militante. Ela diz que ignorância é aquilo que não sabemos. Ignorância militante é o que achamos que sabemos, sem saber de fato. E, para completar, os ignorantes militantes costumam ser donos da verdade.

– É mesmo de assustar – concordei. – Acho que isso acontece frequentemente entre os profissionais de saúde mental. Minha mulher é psicóloga, e todo ano sou forçado a suportar mais uma festa de Natal com os colegas dela. Juro que nunca vi tanta gente doida na minha vida!

O grupo caiu na gargalhada.

– Como treinadora – disse Chris – encontro torcedores que me xingam das arquibancadas, achando que sabem tudo sobre basquete, e que nunca devem ter jogado uma partida durante a vida. Você tem razão, Simeão, eles acham que sabem tudo sobre basquete, mas não conhecem o jogo na prática.

A diretora acrescentou:

– O que estou entendendo é que desenvolver habilidades de liderança é como ser um atleta ou um músico. Ninguém jamais aprendeu a nadar ou a tocar piano lendo um livro. Ninguém jamais se tornou um grande jogador de golfe assistindo aos DVDs do Tiger Woods. O conhecimento tem que ser aplicado e praticado.

– Então – resumiu Simeão – a boa notícia é que a liderança é uma habilidade, uma capacidade adquirida. A má notícia é que vocês jamais desenvolverão habilidades de liderança apenas frequentando seminários e lendo livros. O conhecimento tem que passar da cabeça para o coração, e do coração para a vida cotidiana. Para muitas pessoas, é longa a jornada que vai da cabeça ao hábito.

Simeão fez uma pausa e prosseguiu:

– É claro que isso não significa que vocês vão se tornar os maiores executivos do país no futuro próximo. Mas todos somos capazes de elevar nosso padrão e melhorar nosso nível de habilidade. Talvez eu nunca acerte uma bola num torneio de golfe, nem toque um instrumento com a Filarmônica de Nova York, mas posso aprender a jogar golfe ou a tocar um instrumento musical muito melhor do que faço hoje. O mesmo acontece com a liderança. Com conhecimento, prática e persistência, podemos aumentar nossa eficiência como líderes e fortalecer a marca que deixamos nos outros.

O professor sempre me dava esperança.

Comecei a me sentir um pouco melhor.

CAPÍTULO 7

Gerenciamento

Quer gerenciar alguma coisa?
Vá gerenciar o seu estoque.
Gente não se gerencia, lidera-se.
— ROSS PEROT, Fundador da EDS

O PROFESSOR PARECEU ENCANTADO com a nossa discussão.
— Ótimas contribuições, ótimas informações. Quer nos dar a sua segunda ideia sobre a liderança, Teresa?
A diretora demorou um instante para responder:
— Bem, com base na visão de que a liderança é uma habilidade, fico intrigada com a ideia de que a habilidade para liderar é muito diferente da habilidade para gerenciar. Sempre achei que liderança e gerenciamento fossem sinônimos.
Simeão tornou a andar até o quadro e escreveu:

Liderança ≠ Gerenciamento

Virou-se de frente para nós:
— Nas minhas muitas décadas de trabalho no mundo empresarial, conheci vários gerentes bem preparados e competentes que eram uma completa negação como líderes. E conheci alguns líderes ótimos que não eram grande coisa como administradores.

– Concordo plenamente – disse o sargento. – Nós gerenciamos coisas. Pessoas, a gente lidera. Alguém consegue imaginar os nossos soldados sendo *gerenciados* na batalha?

Como era de esperar, o pastor foi cético:

– Não sei bem se estou percebendo a diferença. Para mim, isso parece uma pura questão de semântica.

– É tudo, menos semântica, senhor – retrucou o sargento, em tom polido, mas firme. – Entre liderar e gerenciar está a diferença entre lidar com as pessoas do pescoço para cima ou do pescoço para baixo. Já falamos disso no retiro anterior.

– Que coisa de mau gosto – resmungou o pastor, com um revirar condescendente dos olhos. – Pescoço para cima, pescoço para baixo, líderes, gerentes. Ainda não estou entendendo, meu amigo.

O sargento se manteve impassível.

– Deixe-me explicar. Gerenciar pessoas do pescoço para baixo significa usar as mãos, as pernas e as costas delas, pagando o salário que o mercado determina. Os gerentes ditam ordens e exigem obediência, enquanto os verdadeiros líderes lidam com as pessoas do pescoço para cima. Quem tem a habilidade de liderar sabe inspirar e influenciar os outros para que eles se comprometam com a missão e com a excelência. O líder aprendeu a habilidade de conquistar o coração e a mente das pessoas, seu espírito, sua criatividade e sua excelência. Os gerentes ou administradores que não adquiriram essa habilidade conseguem obediência e mediocridade. Os líderes inspiram compromisso e excelência.

– É isso mesmo, Greg – falei num rompante, de novo me sentindo hipócrita. – Administração é planejamento, preparação de orçamento, resolução de problemas, organização, leitura de balanços, adoção de estratégias, táticas e várias outras coisas que fazemos. Como disse o Greg, liderança é inspirar e influenciar pessoas para a ação. Gerenciamento é o que fazemos. Liderança é o que somos.

– Boa colocação, John! – reagiu a diretora, animada. – Conheci muitos administradores que eram talentosos em termos táticos, financeiros ou estratégicos. Sabiam planejar, montar planos de aulas e solucionar problemas. A única questão era que seriam incapazes de estimular pessoas a fazerem as coisas da melhor maneira possível, mesmo que sua vida dependesse disso!

A treinadora riu e acrescentou:

– Boa, minha amiga! E vamos deixar uma coisa clara: seja qual for a definição de liderança que se adote, se as pessoas não estão te seguindo, você não está liderando!

É claro que a diretora tinha que introduzir uma das suas citações:

– O Vince Lombardi falou dessa ideia de conquistar corações e mentes. Eu gostaria de dizer que, se a gente conquista o coração, o resto vai atrás.

Teresa acrescentou:

– Por outro lado, um exemplo clássico de administração do pescoço para baixo é Henry Ford, que fez aquele comentário famoso: "Por que é que toda vez que eu peço um par de mãos, elas vêm ligadas a um cérebro?" A mensagem era clara: não quero que vocês pensem, quero que trabalhem. Quando quiser uma opinião, eu a pedirei a vocês!

– Não vamos nos precipitar nesse julgamento – advertiu o professor. – Henry Ford era um ser humano falho, uma mistura do bom e do não tão bom, como qualquer um de nós. Fez muitas coisas boas e viveu numa época bastante diferente.

– Bem lembrado, Simeão – concordou a diretora. – Ele também foi o primeiro a oferecer um salário de cinco dólares por dia, dobrando a taxa de remuneração da mão de obra da época.

Sem parecer ter ouvido o que Simeão dissera sobre julgamentos precipitados, o pastor afirmou:

— Esse intolerante do Henry Ford, destruidor de sindicatos, não costumava dizer que a pessoa podia ter o carro da cor que quisesse, desde que fosse preto?

Olhei para Lee, perguntando-me qual seria o seu problema. Eu me lembrava dele como um ótimo sujeito, com quem eu havia gostado de dividir o quarto no nosso primeiro retiro. Não o reconhecia mais.

O sargento rebateu o comentário dele:

— Imagino que essa afirmação fizesse sentido quando não havia concorrência global. É comum ouvirmos o pessoal da indústria dizer que quer ser equiparado aos concorrentes globais. Equiparação? Nivelamento? Não há dúvida de que, depois da Segunda Guerra Mundial, o campo da concorrência estava nivelado. Mas nivelado por baixo. A maior parte do mundo civilizado estava completamente arruinada pelos bombardeios! Grande parte do Japão, Alemanha, Itália, Inglaterra, Rússia, China e de uma porção de outros países tinha sido arrasada pela guerra. Vamos ser francos, a máquina industrial dos Estados Unidos quase não tinha concorrência.

Naturalmente, a diretora respondeu com uma citação:

— Os chineses têm um provérbio que diz: "Quando os deuses querem nos destruir, primeiro nos dão trinta anos de prosperidade."

— Portanto — continuou o sargento —, Henry Ford se beneficiou dessa mentalidade do "qualquer cor, desde que seja preto". É evidente que a administração do pescoço para baixo era suficientemente boa.

— Suficientemente boa até o mundo mudar — acrescentou a enfermeira, em voz baixa.

O sargento prosseguiu, embalado:

— E mudou mesmo, e continua mudando. Depois da guerra, algumas das nossas melhores e mais brilhantes cabeças procuraram nossos concorrentes estrangeiros, e eles lhes deram ouvidos. Aprenderam e desenvolveram conceitos como melhoria contínua, Kanban, Kaizen, Seis Sigma e produção enxuta, para citar apenas alguns.

— E essas coisas não podem ser feitas "do pescoço para baixo" — afirmou a treinadora. — É preciso engajar as pessoas, fazer com que participem plenamente e entrem no esquema. Não só com mãos e pernas, mas com o coração, a mente, a alma e, é claro, contribuindo com sua excelência. Dando tudo de si.

— Na verdade — acrescentou o sargento —, passamos pela mesma coisa nas forças armadas. A política do pescoço para baixo era suficiente quando tínhamos um sistema de alistamento militar e não havia problema em recrutar mais pessoas. No entanto, neste novo mundo, o serviço militar é voluntário, e é crucial conseguir que os recrutas muito bem treinados se realistem. A política do pescoço para baixo, ou o estilo "faça isto, senão...", está longe de ser suficiente. As pessoas podem estar aptas a administrar, e serem de uma total incompetência para liderar. O novo líder deve ter a habilidade de inspirar e influenciar as pessoas para levá-las à ação e à excelência. Não se trata de administrar bens, mas de liderar pessoas.

— Fico feliz de ver que esses conceitos continuam frescos na cabeça de vocês! — exclamou o professor, radiante.

— Ótimo! Então, que tal almoçar? — gritou a treinadora.

— Amém, irmã! — gritou o sargento em resposta. — Como dizia Napoleão, "O exército só marcha de barriga cheia!".

CAPÍTULO 8

Poder

O valor do poder coercitivo é proporcionalmente inverso a sua utilização.
– ROBERT GREENLEAF

TODOS, MENOS O PASTOR, se dirigiram ao refeitório, localizado a uns 300 metros de distância da sala de reuniões, seguindo uma trilha arenosa. Lee anunciou que queria almoçar sozinho em seu quarto.
Pois que fosse.
Simeão, paramentado com chapéu e avental de mestre-cuca, pôs-se imediatamente a trabalhar na cozinha, picando legumes e preparando umas pastinhas saborosas.
Postei-me ao lado dele e perguntei:
– Posso ajudar? Na verdade, trabalho bem direitinho na cozinha.
– É claro – sorriu o professor, jogando-me um avental.
Num piscar de olhos, ele e eu servimos um bufê genial, com direito a frios fatiados, pão fresco, dois tipos de sopas caseiras e duas saladas, temperadas com muitos condimentos, para aprimorar o sabor.
A treinadora anunciou:
– Com os cumprimentos culinários do monge e do executivo!
– Um dia, em breve, espero que você diga "o monge e o líder" – retruquei, um pouco ressentido com o comentário.

A treinadora fez uma cara desolada e completou:
– Puxa, eu não estava pretendendo insinuar nada com isso, John. Desculpe-me.
– Sei que não estava, Chris. Não se preocupe. Vamos comer!
O refeitório era espaçoso, com um mobiliário simples e grandes mesas redondas. Simeão explicou que os monges só usavam mesas redondas nas reuniões formais, inclusive nas refeições e nos encontros monásticos, para reforçar a igualdade de condições dos presentes.
Aparentemente, essa tradição fora inspirada na lenda do rei Arthur e a Távola Redonda, que remonta a mais de mil anos. O rei Arthur fazia questão da mesa redonda para ilustrar visualmente o status de igualdade entre os presentes e para simbolizar um grupo todo feito de líderes.
É claro que o rei Arthur continuava a ser rei e tinha responsabilidades diferentes das dos cavaleiros, mas esperava-se que estes agissem e assumissem pessoalmente as responsabilidades, como líderes que deviam ser. O conceito de *primus inter pares*, "o primeiro entre iguais", nasceu da mesma tradição. Simeão disse que falaríamos mais sobre esse assunto ao explorarmos a construção da comunidade e da cultura, no último dia do nosso encontro.
Tal como a sala de treinamento, o refeitório tinha janelas em toda a parede oeste, para captar a vista do belo e majestoso lago. Das janelas do leste e do norte descortinava-se a orla de uma imensa floresta de pinheiros, com uma trilha sinuosa e convidativa que levava à escuridão da mata.
Pensei que gostaria de examinar essa trilha, mais tarde.

DEPOIS DO ALMOÇO, fiz um passeio solitário pelo terreno deserto do mosteiro, que demorou mais do que eu havia planejado. Voltei à sala de aula com um ou dois minutos de atraso, e me apressei a ocupar meu lugar.

— Vamos manter a pontualidade, John — veio a alfinetada do pastor. — Ou será que o seu tempo é mais importante do que o nosso?

Senti o sangue subir à cabeça, enquanto me virava na direção dele, pronto para lhe dar uma resposta desaforada.

Felizmente, antes que eu falasse, Simeão resolveu ignorar meu atraso e anunciou:

— Já temos uma ótima lista sobre a liderança! Quem é o próximo?

Sentindo-me culpado pelo atraso, eu me recompus e me ofereci.

— Simeão, eu me lembro que, há dois anos, você afirmou que a liderança legítima vem da autoridade moral da pessoa, e não de seu poder. Por isso, minhas duas contribuições sobre a liderança seriam: primeiro, liderança não tem a ver com poder; e segundo, para liderar outras pessoas com eficiência, é preciso desenvolver a autoridade.

— Sim, excelente, John, obrigado — disse Simeão com um sorriso, e escreveu:

Liderança ≠ Poder

Depois, virou-se para nós e afirmou sorrindo:

— Vou repetir o que já disse há dois anos. Estou mais convencido do que nunca que Jesus Cristo foi o líder mais influente que já viveu. A razão que me faz declarar isso é muito simples. Se liderança tem a ver com influência, e sabemos que tem, quem, na história humana, influenciou e impactou mais pessoas do que Jesus?

— Isso é uma opinião ou um fato, Simeão? — questionou a diretora. — Desculpe. Tenho muito respeito por você e pelo que faz aqui, e não pretendo desrespeitar suas crenças. Só que não quero que este retiro se torne uma coisa religiosa.

A treinadora interveio antes que o professor respondesse:

— Teresa, para mim a diferença entre um fato e uma opinião são as provas daquilo que se afirma. E as provas da afirmação do Simeão são muito claras. O cristianismo é o maior sistema religioso organizado da Terra, com mais de 2,4 bilhões de seguidores hoje em dia. Combine isso com os bilhões de outros que se chamaram de cristãos nos últimos dois mil anos, e estaremos começando a reunir provas substanciais.

Após uma pausa, ela prosseguiu:

— Além disso, nosso calendário é dividido de acordo com o número de anos decorridos desde o nascimento de Jesus, e muitos países do mundo, inclusive o nosso, têm feriados nacionais baseados em acontecimentos da vida dele. Acho que nenhuma pessoa intelectualmente honesta, seja qual for sua religião, pode negar que Jesus influenciou, inspirou e afetou as escolhas de mais indivíduos do que qualquer pessoa na história humana. De longe.

A sala emudeceu.

Simeão retomou sua fala:

— Por favor, saibam que não estou tentando defender um argumento religioso, mas apenas um argumento simples e pragmático. O líder mais eficaz da história humana, por qualquer critério razoável, fez uma declaração definitiva sobre a liderança. Disse que, para ser líder, primeiro a pessoa deve ser serva. Liderar é servir. Talvez ele estivesse no caminho certo de algo importante.

— Como o quê? — quis saber a diretora.

— Estou convencido de que, se não compreendermos plenamente a distinção entre ter poder *sobre as pessoas* e ter autoridade *junto às pessoas,* nunca compreenderemos plenamente o que Jesus quis dizer ao afirmar que líder é aquele que serve – respondeu Simeão.

A diretora pareceu convencida e disse:

– Tenho uma vaga lembrança do que falamos sobre poder *versus* autoridade no último retiro, Simeão. Você pode nos refrescar a memória?

– Com muito prazer, Teresa. Há mais de cem anos, um dos fundadores da sociologia, Max Weber, estabeleceu uma diferença entre poder e autoridade, e essas definições ainda são amplamente usadas. Em linhas gerais, poder é a capacidade que alguém tem, por causa de sua posição, de forçar ou coagir os outros a cumprirem sua vontade, ainda que eles preferissem não fazê-lo.

– Forçar ou coagir? – reagiu o pastor. – Isso parece meio forte.

– Permita-me simplificar para você, Lee – eu disse, em tom sarcástico. – Poder é: faça isto, senão...! Faça-o, senão eu o bombardeio, espanco, arraso, denuncio, demito. Poder é a minha possibilidade de obrigá-lo a agir segundo minha vontade, queira você ou não. Acredite, eu entendo tudo de poder.

– Essa definição faz o poder parecer uma coisa negativa! – retrucou o pastor. – Às vezes, o líder tem que exercer a função de chefe, dizer às pessoas o que fazer, e definir a realidade para elas. Não acho que o poder seja necessariamente ruim.

– Nem eu – interpôs Simeão, para surpresa de alguns. – Há momentos em que o líder talvez tenha que recorrer ao poder, quando ele se faz necessário. Lembrem-se, os líderes sempre atendem a necessidades legítimas. Pode haver momentos legítimos em que é preciso exercer o poder, mas o líder sábio o usa de maneira criteriosa e comedida. Na verdade, quando o líder servidor precisa usar o poder, ele o faz com tristeza, porque reconhece que o uso do poder decorreu de um declínio da sua autoridade pessoal. Daqui a pouco vamos falar mais sobre autoridade.

– Sim, acho que isso faz todo o sentido, Simeão – concordou a enfermeira.

– E há também um aspecto bastante negativo no exercício do poder.

– E qual seria? – perguntou o pastor, parecendo aborrecido.

Essa eu resolvi responder:

– O aspecto negativo do poder é simples. Ele desgasta as relações.

– Isso mesmo, John – afirmou Simeão, na mesma hora. – Quando o poder é utilizado para dominar, controlar e manipular as pessoas, sejam elas crianças, empregados, alunos, cônjuges ou clientes, começam a surgir sinais muito ruins.

– Como o quê? – insistiu o pregador.

– Sinais como rebeldia, mentira, baixo nível de comprometimento, moral baixa, falta de confiança, disfunções familiares, falhas organizacionais, conflitos trabalhistas, rotatividade dos empregados, divórcio, absenteísmo, para citar apenas alguns.

– Em suma – acrescentou a enfermeira –, talvez você possa tirar algum proveito do poder, mas, com o tempo, o estilo de liderança baseado nele estraga as relações. Os relacionamentos são o que há de mais importante na vida, porque as pessoas são basicamente seres relacionais. Até as empresas têm tudo a ver com relações, porque sem pessoas não há negócios.

A diretora estava com uma citação pronta:

– Como diz Herb Kelleher, o grande líder servidor da Southwest Airlines, "A essência dos negócios são as pessoas".

Surpreendi-me ao dizer:

– Vocês duas têm razão. As pessoas são relacionais e o poder desgasta as relações. Sei disso, pode crer. Vivi recentemente um episódio com minha filha que ilustra muito bem o que estamos discutindo. Quando há quebra de confiança e um dano no relacionamento, as coisas descambam depressa para a mentalidade da obediência e da política do pescoço para baixo. As pessoas só obedecem até conseguirem fugir de você.

Tornei a baixar a cabeça, com um aperto no peito.

O professor fez o resumo para nós:

– Como discutimos esta manhã, os jovens de hoje têm pouca tolerância com as pessoas instaladas no poder. De fato, essa revolta pode ser vista no mundo inteiro, e até em nosso próprio país. O mundo se cansou dos detentores do poder. Portanto, meus amigos, se a sua liderança é baseada no poder, ela é um castelo de cartas. Talvez vocês consigam desfrutar do poder por um período, mas, com o tempo, começam a surgir rompimentos nas relações, baixo nível de compromisso, falta de confiança e muitos outros sinais desagradáveis. Os requisitos básicos necessários para uma equipe saudável, que funcione bem, ficam grandemente prejudicados. Em suma, liderar pelo poder não é sustentável.

O aperto no meu peito continuou.

CAPÍTULO 9

Autoridade

*Como o poder corrompe,
a demanda da sociedade por autoridade
moral e caráter aumenta à medida que
aumenta a importância da posição.*
– JOHN ADAMS, segundo presidente dos Estados Unidos

O PASTOR MOSTRAVA-SE IMPACIENTE para continuar:
– Certo, entendi a questão do poder, então, vamos em frente. O que esse alemão tinha a dizer sobre a autoridade?

Simeão, com sua paciência infinita, sorriu e o atendeu:
– Sim, Lee, obrigado por nos manter concentrados. Voltemos ao sociólogo Max Weber. Ele mostrou que o poder é a capacidade de alguém exigir, forçar ou coagir os outros a fazerem sua vontade. A autoridade, por outro lado, é a capacidade de levar os outros a fazerem de bom grado a vontade de alguém, por causa de sua influência pessoal.

O pastor olhou na minha direção:
– Que tal simplificar essa para mim?
– Deixe que eu cuido dessa para você, John – interveio o sargento, solidário, talvez intuindo que o meu pavio estava curto. – No exército é muito comum encontrar generais, coronéis e até mesmo sargentos que exercem poder sobre seus subordinados. Sua maneira de comandar é "Faça, senão..." Mas os verdadeiros líderes militares, aqueles que entram para a história, são os que inspiram os soldados a servir a uma cau-

sa. Você acha que morrer pela pátria é conquistado com poder ou autoridade?

— Sim, Greg, excelente! — agradeceu Simeão, que escreveu:

Liderança = Autoridade

O professor continuou:

— Repetindo, não creio que alguém possa compreender plenamente a liderança servidora enquanto não entender essa distinção crucial entre poder e autoridade. Para apreender melhor o conceito de autoridade, pensem no radical *autor* e no que ele significa.

— Estou com ele aqui mesmo, no dicionário — disse a diretora, como era de esperar. — Diz aqui que autor é aquele que origina ou faz existir alguma coisa.

— Exatamente, Teresa — disse Simeão. — A influência pessoal, a autoridade, é algo que a própria pessoa gera, que reside nela.

— É claro! — exclamou a treinadora, animada. — O nosso poder não é algo que reside em nós como pessoas. Por exemplo, um policial, um militar, um político ou um juiz exercem apenas o poder que lhes é delegado pelo povo. No mundo empresarial, mesmo sendo meu chefe, você só terá poder sobre mim se ele lhe for conferido pela organização. Como treinadora, o meu poder deriva da instituição de ensino que o confia a mim.

— Pensando bem — acrescentou a enfermeira —, usamos até hoje essas velhas definições de poder e autoridade. Por exemplo, quando os políticos são apanhados em aventuras sexuais, os comentaristas de televisão dizem coisas do tipo "O senador perdeu a autoridade moral com esse escândalo sexual, o que o impossibilitará de servir adequadamente aos seus eleitores".

– Tem razão, Kim – interpus. – Pode-se ter poder sobre as pessoas e, ainda assim, ter pouca ou nenhuma autoridade *perante* elas. Sou um exemplo vivo disso. É só perguntar aos meus empregados, que logo poderão ser meus ex-empregados, ou à minha mulher, que logo pode vir a ser minha ex-mulher, ou a meus filhos, se conseguir que eles falem com você.
Podia-se ouvir o canto dos grilos.
Nem eu mesmo acreditei que tinha dito aquilo.
Simeão olhou diretamente para mim e disse:
– Que depoimento franco e importante você acaba de dar, John.
Ignorando a observação do professor, o pastor mudou rapidamente a direção da conversa:
– O que eu penso sobre essa coisa da autoridade é...
O professor nos deixou chocados, ao interrompê-lo no meio da frase:
– Sinto que devo dizer uma coisa. Estou pasmo com a dinâmica que venho presenciando no grupo. Por duas vezes, nesta última hora, John assumiu o risco de compartilhar conosco algumas partes muito dolorosas da sua vida. E apesar de se abrir corajosamente, mostrando sua disposição de ficar vulnerável e transparente para o grupo, vocês optaram por ignorar os comentários dele. Isso me parece estranho, num grupo em que as pessoas dizem importar-se umas com as outras.
– Está tudo bem, Simeão – apressei-me a explicar, sentindo-me esquisito e querendo amenizar o mal-estar do grupo.
Todos ficaram num silêncio incômodo pelo que pareceu uma eternidade.
– Você está certo, Simeão – disse a enfermeira, em voz baixa.
– Desculpe, John.
Murmurei algo como "tudo bem". E acrescentei:
– Vamos em frente.

Foi exatamente o que fez o sargento:

– A história fornece muitos exemplos de pessoas que tinham pouco ou nenhum poder, mas exerceram grande autoridade. Estou pensando em Jesus, Gandhi, Martin Luther King, Nelson Mandela, Madre Teresa. Nenhum poder, mas uma tonelada de autoridade, capaz de mudar o mundo.

A treinadora se manifestou:

– Greg, acho úteis os casos históricos de autoridade, mas prefiro histórias da vida cotidiana com que eu possa me identificar. Alguém aqui pode citar um exemplo de uma pessoa de seu convívio que tenha tido verdadeira autoridade em sua vida?

– Eu posso – apressou-se a dizer a diretora. – No meu primeiro emprego no magistério, a diretora era uma chefe rigorosa que exigia excelência, mas que nos deixava conversar sobre quase tudo. Ela nunca permitiu que eu fosse medíocre, e me incentivava a dar o melhor de mim, o que incluía arranjar tempo para assistir às minhas aulas e me dar um retorno excelente, embora às vezes fosse penoso. O mais importante, porém, é que ela realmente se importava comigo, e eu seria capaz de fazer qualquer coisa por ela. Mesmo hoje, é óbvio que ela não exerce nenhum poder sobre mim, mas ainda tem autoridade comigo. Eu iria ao seu encontro num piscar de olhos, se um dia ela precisasse de mim.

O sargento balançou a cabeça e elogiou:

– Ótimo exemplo, Teresa. Para mim, um grande exemplo de autoridade é minha mãe.

Fez uma pausa e pigarreou, antes de prosseguir:

– Bem, lembrem-se, a minha mãe não tem nenhum poder sobre mim, porque agora corro mais rápido que ela!

Todos riram e ele prosseguiu:

– Mas eu também faria qualquer coisa por ela. Por quê? Porque minha mãe se dedicou a mim e me apoiou em todos os bons e maus momentos. E, acreditem, às vezes não era fácil conviver comigo. No entanto, ela sempre me respaldava. De modo que é possível dizer que ela não detém nenhum poder sobre mim, mas até hoje possui enorme autoridade comigo.

– Tive uma treinadora de vôlei, no ensino médio, que se chamava Phyllis – contou a treinadora – e que me tomou sob a sua proteção na época em que eu era uma adolescente confusa e revoltada. Ela me ensinou sobre atletismo, caráter e disciplina, sobre a vida, os garotos e inúmeras outras coisas. Até hoje me pergunto onde eu estaria, se não tivesse topado com a Phyllis. Eu faria qualquer coisa por ela na adolescência, e mesmo agora.

Simeão ordenou as ideias para nós:

– A autoridade, portanto, é a sua influência pessoal nos outros, aquela marca indelével que vocês deixam nos corações e nas mentes. Outra maneira de ver o poder e a autoridade é esta: o poder pode ser comprado e vendido, concedido e retirado. Mas a autoridade nunca é comprada nem vendida, conferida ou retirada. Ela está intimamente ligada ao que a pessoa é. A questão não é se você tem poder como líder. É provável que tenha. A verdadeira questão é se as pessoas se submeteriam *voluntariamente* à sua liderança, caso pudessem escapar. Em caso afirmativo, você teria construído uma verdadeira autoridade.

– E, caso contrário – acrescentou o sargento –, você as estaria tratando do pescoço para baixo. Teria a submissão delas, até que pudessem escapar do seu comando.

– Vocês estão acabando comigo – resmunguei, enquanto nos retirávamos para o intervalo da tarde.

AS PESSOAS CORRERAM PORTA AFORA para verificar suas mensagens e aplacar seu vício nos celulares, mas eu tomei a decisão de não ver como iam as coisas na empresa. Em vez disso, optei por ligar para casa e saber como estava a família.

Minha filha, Sara, atendeu ao telefone, e tivemos nossa conversa típica: eu fazendo as perguntas, ela resmungando respostas monossilábicas (oi, tá, é, não, tchau).

Sara passou o telefone para Rachel, e as coisas não melhoraram. Fiz o melhor que pude para escutar com paciência e ser agradável, mas a boa vontade se esvaiu quando ela me disse que John Jr. estava ameaçado de ser expulso da escola. Aparentemente, nosso filho mais velho fora apanhado em flagrante, introduzindo furtivamente um videogame pornográfico e violento na aula de computação. Rachel me disse que eu precisava participar mais da vida do nosso filho. Urgentemente.

Tudo o que ouvi foi que eu era incompetente como pai, e isso, é claro, apertou meu botãozinho do fracasso, o que desencadeou nossos comportamentos relacionais de sempre. Em menos de um minuto, a conversa deteriorou, transformando-se na nossa dança desencontrada, previsível e permanente.

Nosso circuito particular de comunicação. Que coisa especial!

Terminei a conversa com minha frase de praxe:

– Tá bom, depois a gente conversa, tenho que desligar.

Eu me encaminhei irritado para a sala de aula, com pena de mim mesmo, e me perguntando se devia voltar logo para casa ou aguentar mais dois dias.

Capítulo 10

Serviço

*O amor tem que ser posto em prática,
e essa prática é servir.*
— Madre Teresa de Calcutá

Cheguei antes dos outros na sala de aula e me sentei sozinho, esperando terminar o intervalo vespertino. Estava com o estômago embrulhado e a cabeça girando.

Por um lado, sentia-me animado por estar aprendendo e revendo aquelas grandes verdades sobre a liderança, e sentindo a esperança despontar no fundo do coração.

Por outro, lutava com uma esmagadora sensação de fracasso no trabalho e na vida pessoal.

E, para completar, o pastor estava me levando à loucura. Assim como minha mulher.

Como é que ela se atrevia a jogar em cima de mim a trapalhada feita pelo John Jr. na escola? O que é que eu podia fazer, a quase quinhentos quilômetros de distância? Quer dizer, eu estava naquele retiro tentando me reorganizar, pelo bem dela. Não havia mesmo jeito de deixar aquela mulher feliz, não importava o que eu fizesse.

E talvez nosso casamento tivesse chegado ao limite.

E talvez a melhor coisa fosse o divórcio.

E talvez devêssemos simplesmente botar as crianças em colégios internos rigorosos.

Perdido no meu abismo psíquico, mal percebi a voz de Simeão rompendo a escuridão em que eu me encontrava:
— John, tudo bem com você?
— Sim, estou ótimo, por quê? — resmunguei, meio confuso.

O pastor deu uma risadinha e explicou:
— O Simeão lhe fez a mesma pergunta duas vezes, e você continuou sentado aí, olhando para o espaço. Precisa colocar a cabeça aqui na sala, parceiro.

Lancei-lhe uma olhadela irritada.

Felizmente, o professor indagou:
— John, há mais alguma coisa que você queira acrescentar sobre poder e autoridade?
— Hum, não, obrigado — respondi timidamente —, para mim está bom.

O professor levantou os olhos e examinou a sala:
— E então, quem é o próximo a oferecer suas contribuições para a nossa lista?
— Eu — ofereceu-se o pastor. — Você disse que a liderança é baseada na autoridade, e eu lembro que, no retiro anterior, concluímos que a autoridade se baseia no serviço e no sacrifício, certo?
— Isso mesmo, Lee — confirmou Simeão.
— Apesar de já termos visto isso, eu ainda gostaria de entender melhor essa ideia. Vamos falar sobre como podemos servir os outros.

Simeão acrescentou ao quadro parcialmente cheio:

Liderança = Serviço

Em seguida, perguntou ao grupo:
— Como é que servir os outros constrói autoridade?

O sargento tomou a palavra:

– Quando servimos os outros, identificando e atendendo suas necessidades legítimas, é natural que as pessoas se sintam gratas e retribuam na mesma moeda. É a simples lei da colheita, segundo a qual a pessoa colhe o que plantou. Quando você dá o melhor de si para servir os outros, colhe influência e autoridade.

A treinadora concordou:

– Apesar dessa verdade ser tão simples, constato que eu mesma e a maioria das pessoas em posições de liderança não conseguem colocá-la em prática. Você me serve, e eu o servirei. Você me apoia, eu apoio você. É muito elementar. Servir às pessoas é simplesmente dar a elas aquilo de que precisam para ter sucesso. Se você lhes der o que é necessário, elas lhe darão tudo de que você precisar. Eu sei muito bem disso, mas nem sempre consigo me comportar assim.

O diálogo sensibilizou Kim:

– Uma vez, quando eu chefiava equipes de enfermagem, tive um orientador que repetia sempre que nossa liderança nunca seria definida pelo que realizássemos. Ao contrário, seria definida pelo que fizéssemos os outros realizarem. Se você atender às necessidades do seu pessoal, vai se admirar ao ver o que as pessoas são capazes de realizar. – E voltando-se para a treinadora: – Console-se, Chris, eu também me vejo muitas vezes entrando em contradição com o que aprendi aqui.

– Eu também, Kim – afirmou a diretora. – Servir, dando o melhor de si mesmo e se sacrificando pelos outros, é a linguagem universal que todo mundo entende. Creio que foi por isso que Jesus, Gandhi, Madre Teresa, Martin Luther King e tantos outros líderes servidores exerceram um impacto tão profundo nas pessoas. Eles serviram e se sacrificaram por uma causa. Chamaram a atenção de todos e os inspiraram a agir. Dessa forma, mudaram o mundo.

– Está tudo muito bom, tudo muito bem – objetou o pastor –, mas é preciso tomar cuidado ao fazer a vontade das pessoas, porque elas podem se aproveitar disso e nos explorar, se deixarmos. Acreditem, já vi coisas horrorosas acontecerem tanto no mundo empresarial quanto no da igreja que eu conheço bem.

– Lembre-se, senhor – contrapôs o sargento –, de que servir às pessoas significa atender a *necessidades*, e não a *vontades*. Escravo é quem faz as vontades do dono. Os servidores fazem aquilo de que os outros necessitam. O que meus empregados ou meus filhos querem pode ser muito diferente daquilo que eles precisam.

– Necessidades e vontades? Até parece que há alguma grande diferença! – retrucou o pastor, provavelmente sem pensar.

Aquilo é que era reviravolta. O pastor, com seu cinismo e ceticismo, parecia ter assumido o papel do sargento no retiro anterior. Era preciso fazer alguma coisa a respeito do Lee, antes que ele me tirasse do sério!

Mas o sargento, absolutamente calmo, respondeu com paciência e respeito:

– Estou convencido de que há uma grande diferença entre necessidade e vontade, sim senhor. A vontade é um anseio ou um desejo que não leva em consideração as consequências. "Quero tirar duas horas para o almoço, chefe", ou "Quero ficar na rua até três horas da manhã, papai". Mas o líder deve interessar-se pelas consequências da continuação desses comportamentos. Deixar que um subalterno tire duas horas de almoço não favorecerá a harmonia da equipe, e podem acontecer coisas ruins com nossos filhos às três horas da manhã.

– Ótima colocação, Greg! – exclamou a diretora. – Antes nós dissemos que nossa liderança só tem êxito quando as pessoas saem melhores do que chegaram. Deixar que elas saiam im-

punes de coisas absurdas não é servi-las. Talvez seja o que elas querem, mas é provável que não seja aquilo de que precisam.
— E o que é uma necessidade? — insistiu o pastor.

Após alguns instantes de reflexão, o sargento respondeu:
— Para mim, necessidade é um requisito físico ou psicológico legítimo para o bem-estar de um ser humano. Quando tomo decisões sobre as pessoas, procuro passá-las por um filtro: "Será que isso é uma necessidade legítima ou apenas uma vontade? A longo prazo, atender a esse pedido será realmente benéfico para a organização e para o indivíduo?"

— Estou muito orgulhosa de você, Greg — disse a enfermeira, sorrindo. — Da última vez que estivemos juntos, você se mostrou meio resistente a esses princípios, e agora parece aceitá-los.

O sargento sorriu e disse:
— Obrigado, Kim. Há dois anos, quando voltei para a base, examinei minhas atitudes e não gostei do que vi. Simplesmente decidi que estava na hora de mudar. E foi assim que começou meu processo de transformação que, como todo processo, tem altos e baixos, avanços e recuos.

O pastor forçou mais um pouco:
— Mas será que essa história de servir atendendo às necessidades não contraria o estilo militar de comando e controle? Francamente!

O sargento o fitou com olhar firme e rebateu:
— Talvez você não saiba, Lee, mas a palavra "sargento" vem do latim *serviens, -entis*, que deriva do verbo *servire*, ou servir. Meu posto de sargento me recorda diariamente que a descrição do meu cargo tem tudo a ver com servir.

— Eu não sabia — resmungou o pastor.

Essa observação o fez calar-se por algum tempo.

Simeão aproveitou para colocar as ideias em ordem:

– Nunca se esqueçam de que, tanto na vida pessoal quanto na profissional, o sucesso, em última instância, está nas relações. Se as relações são saudáveis, a família é saudável. Relações saudáveis geram trabalho saudável. Relações ruins, família problemática. Relações ruins, trabalho ruim.

A enfermeira acrescentou:

– E como é que se mantém um relacionamento saudável com as pessoas? Deveria ser muito simples: basta identificar e atender a suas necessidades legítimas. Mas no dia a dia, muitas vezes é uma construção complicada.

Eu também dei minha contribuição:

– Essa é uma grande verdade no mundo empresarial. É claro que os clientes têm uma porção de caprichos ou vontades, mas também possuem necessidades legítimas. Desejam, por exemplo, um produto de qualidade, entregue pontualmente e por um preço razoável. E é melhor atender a essas necessidades se a empresa quiser sobreviver e prosperar.

A enfermeira interveio de pronto:

– Os empregados têm tanto uma porção de vontades quanto necessidades legítimas, às quais o líder deve atender. Necessidades como respeito, orientação, reconhecimento, elogios, comunicação. E isto é só o começo.

– E quanto aos acionistas, ou seja lá quem estiver pagando as contas? – interveio a diretora. – É melhor atendermos a suas necessidades, garantindo um rendimento justo por seu investimento. O mesmo se aplica às relações com sindicatos e fornecedores, e às relações com a comunidade e com o governo. Na verdade, tudo tem a ver com atender às necessidades e construir relações.

Simeão resumiu:

– Portanto, a fórmula para liderar é simples, mas não simplista. Tratamos dela no último retiro, mas é necessário repeti-la inúmeras vezes, colocá-la em prática, refletir sobre nossas falhas para procurar corrigi-las. Só assim essa verdade irá se incorporando a nós e se traduzirá em nossos atos. Liderar é servir. Parece uma contradição, mas é uma das verdades mais importantes da vida.

CAPÍTULO 11

Amor em ação

"Amor" é a palavra mais importante da língua inglesa...
Espero que meus jogadores saibam que amo todos eles.
Houve ocasiões em que não gostei deles.
Houve ocasiões em que não gostei dos meus próprios filhos, mas isto nunca teve nada a ver com meu amor por eles.
— JOHN WOODEN

O PASTOR ESTAVA IMPACIENTE para seguir adiante:

— Minha segunda contribuição de hoje é que a liderança tem a ver com dar o melhor de si e se importar com as pessoas sob seus cuidados.

"Como é?" foi minha reação interna imediata. Ali estava o pastor falando de compaixão e serviço, enquanto agia como um perfeito idiota. Que hipócrita!

No mesmo instante, uma voz dentro de mim alertou "Ele é igualzinho a você", o que colocou por terra minha arrogância. Mais uma vez me dei conta de que as coisas que eu detestava nos outros eram justamente aquelas que eu não gostava em mim.

De volta à realidade, constatei que nossa lista no quadro estava crescendo. Simeão acrescentou:

Liderança = Amor (em ação)

— Ei, quem foi que falou em amor? — perguntou Lee com espanto.

Simeão deu um leve sorriso e se dirigiu à enfermeira:

— Kim, na última vez em que estivemos juntos, você nos deu uma bela definição de amor. Ainda se lembra dela?

— Lembro — veio a resposta, baixinho. — E a definição foi *nossa*, não *minha*.

— Reconheço meu erro, minha jovem — sorriu o professor, piscando para ela.

— Dissemos que amar é o ato de dar o melhor de si pelos outros, identificando e atendendo a suas necessidades legítimas e visando o bem deles.

— Adoro essa definição — disse a treinadora. — Porque eu sempre pensei no amor como algo que eu *sentia*, não como algo que eu *fazia*.

— Eu também — concordou Chris. — É claro que eu acredito que há componentes emocionais no amor, como afeto, romance e paixão. Passei a entendê-los como a linguagem do amor, os sentimentos do amor, a expressão do amor, até o fruto do amor. Mas esses sentimentos não são a essência do ato de amar. Em termos simples, eu diria que amar é o que se *faz*, e não o que se sente ou diz.

O sargento também concordou:

— É isso mesmo, Kim. Conheço muitos homens que dizem amar suas mulheres, mas continuam correndo atrás de outras. Ou que amam os filhos, mas não conseguem arranjar uma hora por semana para conviver com eles. Essas pessoas dizem as coisas certas, mas não fazem o que dizem.

— Excelente, Greg — incentivou-o o professor. — É fácil dizer que amamos nosso cônjuge, nossos filhos, pais, irmãos, amigos. Ou até nossos empregados, quando declaramos nosso amor por eles, afirmando que são nosso maior trunfo. Acho que todos os altos executivos que conheci já disseram exatamente isso. As pessoas dizem as coisas certas, mas, no fim, o que as diferencia não é o que elas *falam*. O que as distingue é o que elas *fazem*. Nossos atos sempre deixam transparecer aquilo em que realmente acreditamos.

– Acho que Hollywood distorceu toda a essência do ato de amar – falei – ao torná-lo emocional e ao sexualizá-lo, em vez de transmitir a mensagem de que o amor autêntico empenha-se em dar o melhor de si. Para Hollywood, é tudo uma questão de "apaixonar-se". Quando eu tinha 18 anos, podia me apaixonar por cinco garotas diferentes numa noite de sexta-feira. E, quanto mais tomava cerveja, mais apaixonado ficava!

– Essa é boa, John – disse a diretora, rindo. – Mas você tocou num ponto importante. A definição clássica do amor diz que amar verdadeiramente é dedicar-se, dar o melhor de si. Apaixonar-se é o inverso do amor verdadeiro, porque não exige qualquer esforço.

O pastor resolveu fazer uma pregação:

– Isso me lembra uma das mais belas passagens da Bíblia, escrita pelo apóstolo Paulo na Carta aos Coríntios. Ela é muito lida em cerimônias de casamento e se aplica perfeitamente ao que estamos discutindo: "O amor é paciente, o amor é bondoso. Não inveja, não se vangloria, não se orgulha. Não maltrata, não procura seus interesses, não se ira facilmente, não guarda rancor. O amor não se alegra com a injustiça, mas se alegra com a verdade. Tudo sofre, tudo crê, tudo espera, tudo suporta."

Vasculhando a bolsa, a enfermeira se animou:

– Aliás, eu tenho um resumo dessa passagem no verso do meu crachá.

– Pode ler para nós, Kim? – pediu o professor, dirigindo-se a um quadro lateral na parede.

Simeão foi escrevendo, enquanto a enfermeira recitava as palavras:

Amor é paciência
Amor é bondade
Amor é humildade
Amor é respeito
Amor é abnegação
Amor é clemência
Amor é sinceridade
Amor é compromisso

— Não há absolutamente nenhum sentimento nessa lista — maravilhou-se o sargento, parando para refletir. — Na verdade, olhando para a lista de comportamentos que definem e descrevem o amor, eu diria que essa é não apenas uma definição genial do amor, com seus dois mil anos, mas é também uma esplêndida definição do caráter e das qualidades da grande liderança.

A treinadora parecia empolgada quando disse:
— Vince Lombardi, o grande treinador de futebol americano, sempre dizia a seus jogadores que eles podiam não gostar uns dos outros em certos momentos, mas que, como seu treinador, ele os amaria. E acrescentava: "Meu amor será *implacável!*"

A enfermeira fez um ar intrigado:
— Implacável? O que ele quis dizer com isso?

— Meu palpite — respondi — é que ele pretendia demonstrar seu amor por eles fazendo, de forma implacável, com que fossem o melhor que pudessem. Quando saíssem do seu time, eles teriam lugar garantido em qualquer grande equipe. Lembre-se do teste de liderança: ao partirem, as pessoas se tornaram melhores do que quando chegaram?

– Às vezes, é preciso amar pessoas de quem não gostamos – declarei. E surpreendi a mim mesmo ao acrescentar: – Há momentos em que tenho a forte impressão de que minha mulher não gosta muito de mim. Para dizer a verdade, há momentos em que *sei* que ela não me suporta. Mas continua a me amar, porque é paciente, boa, tolerante, e porque firmou comigo um compromisso sólido. Ela continua firme, mesmo que muitas vezes eu aja como um idiota.

Simeão balançou a cabeça e disse:

– Houve um tempo, na minha carreira, em que eu ficava constrangido ao usar a palavra *amor*, quando falava de liderança. Quando a gente começa a falar de amor nas empresas, as pessoas ficam meio atordoadas, especialmente o pessoal de recursos humanos. Eles me diziam coisas do tipo: "Estamos tentando eliminar da empresa o assédio sexual! Por que agora você vem falar de amor?" Mas acabei percebendo que eu não poderia ser honesto se falasse de conceitos como liderança, caráter e serviço prestado aos outros, sem mencionar o amor. Afinal, todos os grandes líderes servidores da história falaram muito de amor. Jesus, Gandhi, Madre Teresa, Martin Luther King e muitos outros.

– No fim das contas – resumiu a enfermeira –, amar é nos dar aos outros e tratá-los como gostaríamos de ser tratados. É a regra de ouro. Nunca encontrei alguém que discordasse.

– Tem razão, Kim – concordou o sargento. – Seja o chefe que você gostaria que o seu chefe fosse. A pessoa que você quer que ele seja é a mesma que a sua equipe espera que você seja. Seja a mãe ou o pai que você gostaria que sua mãe ou pai tivessem sido. Seja o vizinho que você gostaria que o seu vizinho fosse. Isto parece resumir essa história de amor, não é?

A hora do jantar se aproximava. Simeão levantou-se:

– Gostaria de encerrar o dia com algo que lhes contei há dois anos. Lembro que muitos ficaram surpresos quando souberam que, quando estava na faculdade, eu era ateu. Tinha estudado todas as religiões, e nenhuma me satisfazia. No cristianismo, eu tentava entender o que Jesus queria dizer com a palavra *amor*, repetida tantas vezes. "Amar o próximo" ainda era possível, desde que esse próximo nos tratasse bem. Mas Jesus insistia para que também "amássemos nossos inimigos". Lembram-se? Aquilo me parecia um absurdo. "Amar Hitler, amar um estuprador, um assassino?" Eu me rebelava, indignado. Se formos procurar no dicionário, como Teresa fez no primeiro retiro, as definições de amor estão sempre ligadas a sentimentos positivos. Mas um professor de línguas me explicou que os gregos – e boa parte do Novo Testamento foi escrito em grego – usavam palavras diferentes para definir os vários aspectos do amor. Uma delas era *eros*, que significa sentimentos baseados em atração sexual; outra era *storgé*, afeição, sobretudo entre os membros de uma família. Nenhum desses termos aparece no Novo Testamento. Os gregos usavam o substantivo *agápe* para descrever um amor incondicional, baseado no comportamento com os outros, sem exigir nada em troca. Quando Jesus fala de amor, ele usa a palavra *agápe*, um amor que se expressa pelo comportamento e pela escolha, não o sentimento do amor. – Fez uma pausa e olhou sorrindo para cada um de nós. – Guardem esse conceito, porque ele é fundamental:

"Amor é o que se faz, não o que se sente."

ASSIM QUE A REUNIÃO FOI ENCERRADA, levantei-me depressa da cadeira, abaixei a cabeça para evitar qualquer contato visual e saí às pressas pela porta, pois não tinha disposição para conversar com ninguém.

Simplesmente não conseguia deixar de me sentir um hipócrita ao dar respostas e fazer contribuições ao grupo, quando na realidade eu vinha fracassando em quase todos os papéis de líder que me havia proposto.

Eu sentia uma pressão no peito e um peso nos ombros. Exausto, só queria ficar sozinho.

Meu quarto era pequeno, limpo e confortável, com duas camas iguais, uma mesinha, uma cadeira de balanço e um banheiro conjugado. Dava para ouvir a água correndo pelo sistema de aquecimento do rodapé, gerando um calor bem agradável. Senti-me grato por não ter que dividir as acomodações com ninguém.

Joguei-me na cama e estendi a mão para abrir a janela de correr, acima da minha cabeça. Conforme a noite caía, o vento frio chegou uivando pelo oeste, vindo do lago escuro, e respirei fundo várias vezes. As folhas secas de outono farfalhavam nas imensas árvores, enquanto as ondas quebravam na praia lá embaixo.

Apaguei em menos de um minuto.

SEGUNDO DIA

LIDERANÇA EM AÇÃO

Capítulo 12

Afagos

No mundo há mais fome de amor e reconhecimento do que de pão.
— Madre Teresa de Calcutá

Assim que cruzei a porta da sala de aula, na manhã seguinte, veio a paulada. E você pode imaginar de quem partiu.

— Onde se escondeu ontem à noite? Está se achando bom demais para jantar conosco e nos fazer companhia?

O segundo dia não estava começando nada bem.

Enquanto me sentava, sentindo o sangue subir à cabeça, virei-me para o pastor e, antes que pudesse dizer algo muito agressivo, fui novamente salvo por Simeão, que começou a falar:

— Bom dia a todos. Espero que tenham dormido bem e estejam prontos para tratar de como colocar a liderança em prática e desenvolver equipes de alto desempenho. A discussão de ontem foi excelente! Está sendo um prazer aprender com cada um de vocês, e quero agradecer-lhes por seu comprometimento, participação e ótimas contribuições. E então, quem gostaria de começar e enriquecer nossa lista sobre liderança?

— Eu, Simeão! — respondeu o sargento, entusiasmado. — Pode parecer estranho, mas eu entendo a prática da liderança como uma questão de afagos e palmadas.

A enfermeira foi a primeira a reagir:

— O que foi que você disse, Greg?

– Deixe-me explicar. Antes do nosso primeiro retiro, há dois anos, eu via a liderança como uma simples questão de fazer as pessoas cumprirem suas tarefas, não importava qual fosse o meio necessário, mesmo a coação. Eu só estava interessado nos resultados e não tinha a menor consideração pelos sentimentos dos outros e que impacto isso teria em nossa relação. Mas aprendi, de maneira dolorosa, que esse método não funciona. Se para que as tarefas sejam realizadas eu desgasto ou até destruo minha relação com as pessoas, a médio prazo as coisas não vão dar certo. Como já discutimos, a falta de cuidado e a quebra de confiança acabam resultando numa obediência "do pescoço para baixo", que faz as pessoas não darem o melhor de si e até fugirem da gente. Agora sei que liderar consiste em, além de inspirar e influenciar as pessoas na busca pela excelência, conseguir preservar os relacionamentos. Eu continuo preocupado com o cumprimento das tarefas, mas, ao mesmo tempo, com o atendimento das necessidades e a construção de relações para o futuro. E verifico que isso se consegue com afagos e palmadas.

Balançando a cabeça, o professor acrescentou a contribuição do sargento no quadro e comentou:

– Você é um rapaz incrível, Greg.

Liderança = Afagos

– Concordo inteiramente com você, Greg! – apoiou a diretora. – Conheci muitos administradores que eram capazes de fazer o que tinha de ser feito, mas deixavam um rastro de sangue pelo caminho, o que é uma péssima estratégia a longo prazo.

– Por outro lado – acrescentei – conheci muitos gerentes que achavam que liderar era deixar todo mundo satisfeito! Essas pessoas pensam que se tornaram os melhores líderes do mundo quando não há problemas nem tensões, e quando todos vivem cheios de animação e alegria.

– Isso mesmo! – exclamou a treinadora. – Faz todo o sentido para mim! Realizar tarefas enquanto se constroem relações. Como o Greg disse antes, não é preciso ter habilidade nem coragem para gritar com as pessoas ou lhes dar ordens o tempo todo.

– Exato, Chris – concordei. –Talvez a verdadeira habilidade esteja em fazer as duas coisas ao mesmo tempo. Quem é capaz de realizar tarefas, enquanto constrói relações saudáveis para o futuro? Quem sabe encontrar o ponto de equilíbrio entre afagar e dar palmadas? É uma capacidade adquirida. Mas não é fácil.

Aparentemente, era uma habilidade que eu não possuía.

– Isso mesmo, John – emendou o sargento. – Eu lidero ao servir aqueles que estão sob a minha liderança. E sirvo as pessoas afagando-as, quando elas precisam de afago, dando-lhes palmadas quando merecem, e atendendo a suas necessidades para que elas se tornem as melhores possíveis.

– Defina afagar para mim, Greg – pediu a diretora.

– Deixe-me pensar nisso um segundo, Teresa – retrucou o sargento, coçando o queixo. – Creio que eu definiria os afagos como atos que transmitem a cada um que eu me importo sinceramente com ele e valorizo a sua presença na equipe.

A diretora insistiu:

– Você pode me dar um exemplo?

– Acho que a melhor maneira de comunicar que me importo com as pessoas sob a minha chefia consiste em construir um relacionamento com cada uma delas e tratá-las como as pessoas importantes que realmente são. Também lhes mostro minha gratidão e admiração, procurando valorizá-las e valorizar suas contribuições.

A enfermeira interveio:
— Madre Teresa afirmava que as pessoas anseiam mais por reconhecimento do que por pão. E olhe que aquela mulher viu um bocado de gente faminta.
— Sei disso — admitiu o sargento, em voz baixa. — Antes eu achava que toda essa história de respeito e valorização era uma besteira, um recurso dos líderes fracos. Eu era do tipo que achava que bastava dizer à minha mulher que a amava, no dia do casamento. Daí para a frente, estava subentendido. Agora sei que é preciso muito mais empenho para manter relações sadias.
— Você também mencionou a gratidão, Greg — observou a enfermeira. — Gandhi chamava a gratidão de mãe de todas as virtudes, e acho que tinha razão.

O sargento acrescentou em tom solene:
— Há um ditado militar que diz que um soldado não daria a vida por um milhão de dólares, mas lutaria até a morte por um pedaço de fita colorida da sua pátria. Um pouco de gratidão e valorização ajudam muito.

A treinadora se manifestou:
— Creio que demonstrar respeito pelas pessoas também é uma parte essencial do afago. E respeitar é, simplesmente, dar a devida importância às pessoas, porque elas são de fato importantes.

A diretora concordou:
— Quando agimos de forma desrespeitosa, fazemos um saque enorme na conta bancária emocional que as pessoas mantêm conosco. Há um velho ditado que fala disso. As pessoas esquecem o que dizemos, mas nunca esquecem o que as fazemos sentir.

— Até aí, tudo bem — incentivou a enfermeira. — Valorizar, agradecer, demonstrar respeito. O que mais entra no afago?

O sargento considerou atentamente a pergunta, antes de responder:

– Arranjo tempo para escutar de verdade o meu pessoal. Ouvir é um ato de respeito e um modo muito eficaz de abraçar emocionalmente os outros. Hoje me dizem que presto muito mais atenção no que as pessoas falam do que antigamente. De fato, eu me esforço mais para ver as coisas do ponto de vista delas e sentir o que elas sentem. O que me fez seguir esse caminho foi um livro de Stephen Covey. Ele diz que a maioria das pessoas não escuta com a intenção de compreender, mas de responder. Eu era assim mesmo! Enquanto o outro falava, eu ficava pensando: "Quando é que você vai calar a boca, para eu poder lhe dar a resposta certa?", ou "Como posso dirigir esta conversa para que ela tome o rumo que eu quero?" Enquanto isso me passava pela cabeça, eu ouvia pouco o que os outros estavam tentando dizer. Agora, isso não significa que eu concorde sempre com a opinião deles, ou que mude facilmente minha maneira de pensar. Mas eu me empenho mais em compreender o ponto de vista de quem está me falando. Acho que a palavra certa para isso é empatia. Venho investindo para aumentar minha empatia com meu pessoal.

A enfermeira concordou:

– As pessoas têm profunda necessidade de serem ouvidas. Ter empatia não significa simpatizar com as pessoas, concordar com elas, nem consertar as coisas para elas. Mas escutar procurando compreender é uma imensa ajuda para o relacionamento.

– Existe alguma outra maneira de afagar, Greg? – indaguei, curioso. – Deus sabe como eu preciso aprender isso.

– Ah, existe uma porção de pequenas coisas. Agora eu me comunico com as pessoas com mais frequência e procuro lhes dar mais incentivo. Também passei a ficar mais atento às datas de aniversário e de tempo de serviço. Uma das coisas que mais gosto de fazer é mandar cartas aos pais dos meus soldados, para agradecer por eles haverem criado pessoas tão valiosas. É incrível o impacto que esse pequeno gesto causa nas pessoas.

– Estou muito impressionada com as suas mudanças, Greg – comentou a enfermeira, em voz baixa. – Meus parabéns.

– Obrigado, Kim. No fim das contas, acho que a melhor forma de afagar é prestar atenção nas pessoas e nos importar com elas. Por mais que isso soe piegas, são as pequenas coisas que fazem com que uma casa se transforme em um lar. Simplificando, acho que sou uma pessoa mais agradável do que era.

Kim ficou olhando para ele, intrigada, perguntando-se qual o motivo de uma transformação tão radical. Mas limitou-se a dizer:

– Ser agradável é o grande segredo das relações humanas. E não custa nada.

– Está bem, chega desse negócio de gentilezas e amabilidades – rebateu o pastor, num tom zombeteiro.

O sargento o fitou com olhar firme e disse:

– Agora que o senhor falou nisso, percebo por que alguns chamam as habilidades de relacionamento interpessoal de "habilidades delicadas". Relacionar-se com delicadeza é, a meu ver, a parte mais difícil.

– Concordo, Greg – apoiou-o a treinadora. E virando-se para Lee, perguntou: – O que você acha mais difícil: ensinar alguém a ler um balanço contábil ou a desenvolver uma relação de empatia com seu colega de trabalho? Ensinar alguém a gerenciar estoques ou estabelecer laços de confiança com um grupo de pessoas? Não tenha a menor dúvida de que essa é a parte difícil.

CAPÍTULO 13

Palmadas

Quem faz cara feia quando ouve críticas não deveria sorrir quando é elogiado.
— Mokokoma Mokhonoana

— Está bom, entendi! — admitiu o pastor. — Mas estamos precisando de um certo equilíbrio por aqui. Quero saber mais sobre a parte das palmadas. Nossa lista de qualidades de liderança continuava a crescer, e Simeão escreveu:

Liderança = Palmadas

O sargento atendeu ao pedido do pastor:
— Como eu disse, há dois anos eu estava sempre pronto a soltar os cachorros em cima de quem cometesse um erro. Hoje, presto mais atenção nas relações interpessoais, ao mesmo tempo que sou muito mais suave e mais firme com meu pessoal.
— Estou confusa — disse a diretora. — Mais suave e mais firme? Como assim?
Simeão interveio:
— O Greg está tocando em aspectos da liderança que parecem contraditórios. No entanto, os grandes líderes que conheci possuíam essas duas qualidades de caráter que o Greg está des-

crevendo, a gentileza e a firmeza. Eles eram ao mesmo tempo afetuosos e extremamente exigentes. Construíam assim relacionamentos saudáveis, porque ajudavam as pessoas a crescer e a dar o melhor de si para o progresso da empresa.

– Os grandes líderes afagam bastante e batem para valer, não é, Greg? – perguntei.

O sargento fez que sim e completou:

– Eu achava que amar e servir as pessoas era coisa para frouxos. Agora mudei completamente de ideia.

Simeão foi mais adiante:

– Os grandes líderes servidores que conheci eram tudo, menos frouxos. Na verdade, eu os descreveria mais como cães da raça pit bull, em matéria de afagar e dar palmadas. Quando é hora de homenagear as pessoas, demonstrar respeito, reconhecimento, construir relações, celebrar o sucesso e festejar com seu pessoal, os grandes líderes servidores são os primeiros da fila. Que venha a festa!

Após uma pausa, ele prosseguiu:

– Por outro lado, quando é hora de serem rigorosos, de darem palmada, eles também são os primeiros. E dar palmada significa fazer com que as pessoas se responsabilizem pelos resultados do trabalho, incentivá-las para chegarem à excelência, supervisioná-las de perto, proporcionar formas de aprimoramento contínuo, cobrar, não aceitar mediocridade. Os grandes líderes têm a habilidade de encontrar o ponto ideal entre afagos e palmadas. Trabalhar com um líder que funciona assim é um privilégio.

A diretora entrou na conversa:

– No início da minha carreira, trabalhei para alguém que correspondia exatamente ao que você está descrevendo, e tive uma percepção do que é a verdadeira liderança. Foi uma dessas coisas que modificam a vida da gente, e um dos melhores períodos da minha! Depois, ele mudou para outro setor, e tive de voltar a trabalhar para idiotas, o que foi uma dureza. Hoje em dia, por mais que tente reproduzir as atitudes daquele meu chefe, sinto bastante dificuldade. Os erros e a incompetência dos outros me deixam impaciente e até mesmo indignada.

A enfermeira fez uma confissão:

— Preciso admitir que tenho muita dificuldade com a parte das palmadas e de responsabilizar as pessoas. Não gosto de conflitos. Não suporto qualquer clima de tensão. Para mim, isso é um grande desafio.

— Eu adoro você, Kim — disse o sargento, surpreendendo quase todos nós —, e é por isso que vou lhe dizer uma coisa. É o seguinte. Se você for minha chefe, e não me disser a verdade sobre o meu desempenho, não teremos um relacionamento franco nem autêntico. Você vai fingir que está tudo bem, quando não estiver. E, por favor, não me diga quanto se importa comigo se não se dispuser a me corrigir, mesmo que eu fique com raiva de você por alguns dias. Se você se importasse de fato comigo, me daria um pontapé diário no traseiro, para eu ultrapassar meu nível de desempenho e, ao deixar a empresa, estar melhor do que quando cheguei. Por favor, escute isto, Kim. Não preciso de outro amiguinho. Preciso de um líder. A sua verdade sobre o meu desempenho talvez não seja a que *quero* ouvir, mas será exatamente a que *preciso* ouvir.

Mais uma vez, deu para escutar os grilos cantando.

Por fim, a enfermeira respondeu, baixinho:

— Você está certíssimo, Greg. Obrigada por ter a coragem de me dizer isso. Na verdade, pensando bem, agora percebo que, como mãe, não tenho qualquer problema em exigir que meus filhos assumam suas responsabilidades. Por isso, acho estranho ter dificuldade para fazer o mesmo no trabalho.

— Kim, estou curioso — interveio Simeão. — O que a motiva a fazer seus filhos se responsabilizarem por seus atos?

Após alguns momentos de silêncio pensativo, a enfermeira concluiu:
– Acho que é porque eu os amo muito. Realmente, quero o melhor para eles.
– Que resposta bonita e sincera, Kim – disse Simeão.
– É essa mesma motivação que move os grandes líderes. Ajudamos nosso pessoal a atingir a excelência porque nossa responsabilidade moral, na condição de líderes, é dar o melhor de nós a nossa gente. Amá-la, atendendo a suas necessidades legítimas, e procurando o seu bem. Ser capaz de assumir a responsabilidade pelos próprios atos é uma importante necessidade humana, que os líderes devem ajudar a desenvolver em seus liderados. Não estou dizendo que devemos gostar dos que estão sob nossa liderança. Estou afirmando que é preciso amá-los. Lembre-se, amor é o que se faz, não o que se sente.

O sargento tinha mais a dizer:
– O comandante da nossa base sempre lembra à equipe de liderança que, se não fizermos nosso pessoal assumir sua responsabilidade pela excelência, estaremos roubando e mentindo.
– Isso é meio forte – objetou o pastor, mais uma vez.

Sem sequer se deixar perturbar, o sargento respondeu:
– Não senhor, acho que não. Examine os fatos. Se o indivíduo está numa posição de liderança numa organização e não faz seu pessoal responsabilizar-se pela excelência, ele está cometendo um furto toda vez que recebe seu salário, porque é pago para fazer as pessoas se responsabilizarem pelo sucesso da empresa. E está enganando, mentindo mesmo, por fingir que está tudo bem na sua área, quando de fato não está. Ele deixa de dizer a verdade às pessoas.

– E há muitas coisas em jogo – concordou a diretora –, porque existem vitoriosos e fracassados nas forças armadas, assim como nas empresas ou em qualquer organização. Até no meu distrito escolar, fico pensando em quão prejudicadas ficam nossas crianças pelo fato de a maioria das escolas não dizerem aos professores a verdade sobre o desempenho deles.

A enfermeira acrescentou:

— Quem não acreditar que existem vencedores e perdedores, eu convido para me visitar em Detroit, e mostro como isso é devastador para as pessoas e para a comunidade. Quer dizer, pense no seu local de trabalho. Quantas pessoas contam com a sua organização para ajudá-las no dia a dia? Quantos cônjuges, filhos, fornecedores, vendedores, clientes e outras empresas contam com a ajuda da sua organização para garantir seu futuro? É um número estarrecedor. E alguém se dispõe a arriscar tudo isso, por não querer dizer à outra pessoa a verdade sobre seu desempenho? Jura?

Percebi que a enfermeira estava realmente começando a entender.

Sentindo-me inspirado, resolvi acrescentar:

— Pensem bem. Além dos concorrentes, quem também se beneficia quando não contribuímos para que as pessoas atinjam a excelência? Será que a nossa equipe se beneficia? É óbvio que não, porque ela estará pior ao sair do que quando chegou.

— Acho que ninguém se beneficia — concluiu a enfermeira —, nem mesmo o chefe. Estou me dando conta de que, quando deixo de cobrar a responsabilidade das pessoas só porque quero evitar conflito e tensão, estou no fundo evitando a verdade. E isso me diminui, porque faz de mim uma líder voltada para meus interesses pessoais, em vez de ser uma líder servidora.

— Afinal — acrescentou o sargento — a disciplina não consiste em castigar as pessoas. Era assim que eu via a disciplina, mas agora, mudei. Quando corrijo um erro — de um modo firme e amável —, quando dou o treinamento de que precisam, sei que estou ajudando meu pessoal, preparando os indivíduos para que se tornem o melhor que puderem ser. Quando constato uma defasagem entre o desempenho que eles têm e o que deveriam ter, vejo isso como uma oportunidade de ajudá-los a elevar o padrão, e como mais uma chance de servi-los.

A treinadora manifestou-se:

– Acho que estou começando a entender. No livro *Empresas feitas para vencer*, Jim Collins diz que a tarefa do líder é pôr no ônibus as pessoas certas, instalá-las nos lugares certos, e tirar de lá as pessoas erradas. Essa história de palmadas garante que isso aconteça.

– Como saber ao certo quando está na hora de tirar alguém do ônibus? – quis saber a enfermeira.

Simeão antecipou-se na resposta:

– Quando tinha que decidir se devia ou não dispensar alguém, eu sempre me fazia três perguntas. Número um: há mais alguma coisa que eu possa fazer para ajudar essa pessoa a se sair bem? Número dois: há outro cargo na organização em que essa pessoa possa ter sucesso, e seria sensato fazer essa mudança? E número três: se essa pessoa pedisse demissão hoje, eu ficaria decepcionado e tentaria dissuadi-la dessa ideia? Quando minha resposta às três perguntas era não, eu tomava a decisão.

– Amém, Simeão – praticamente gritou o sargento. – Hora de mandar o empregado para os concorrentes!

Capítulo 14

Treinamento

Chamam isto de treinar, mas é ensinar.
A gente não apenas diz a eles que é assim,
mas mostra por que é assim.
E repete, repete, repete,
até eles se convencerem – até saberem.

— Vince Lombardi

Depois do intervalo matinal, Simeão foi até onde a treinadora estava sentada e pôs a mão em seu ombro:
— Bem, Chris, acho que você é a única que ainda não deu sua contribuição.
— Pensei muito nisso – ela começou – e é provável que não surpreenda ninguém ao dizer que acredito que o treinamento é uma parte essencial da liderança.

Liderança = Treinamento

— Defenda a sua afirmação, treinadora! – o professor a desafiou, sorrindo.
Chris estava pronta e prosseguiu:
— Para mim, o grande treinador ou líder é aquele que motiva e desenvolve as pessoas sob sua orientação para que sejam as melhores possíveis e se deem ao máximo à equipe.
A diretora lamentou:

– Ah, sim, motivação. Quanto eu não daria para saber o segredo de como motivar os professores e a garotada!
– É simples – declarou o pastor, em tom displicente. – Toda motivação se reduz ao uso adequado de punições e recompensas. Encarando o sargento, ele prosseguiu:
– Estou achando que você ficou meio frouxo, Sr. Sargento Instrutor de Recrutas. Imagino que nos últimos tempos ande motivando mais com recompensas, não é? Como é que isso tem funcionado?
– Senhor, não se motiva ninguém com punições e recompensas – retrucou o sargento em tom respeitoso, mas firme.
– Pode-se conseguir alguma aceleração da atividade, mas não motivação a longo prazo. Eu acreditava que as punições e recompensas motivavam as pessoas, mas agora sei que não é assim. Motivar não consiste em subornar, castigar e manipular as pessoas para que elas façam as coisas do jeito que queremos. A verdadeira motivação consiste em fazer o gerador interno das pessoas entrar em funcionamento.
– Gerador interno? – intrigou-se a enfermeira em voz alta.
Simeão decidiu intervir:
– Esse é um ponto importantíssimo. Não podemos começar a falar em motivação enquanto não descobrirmos o que acende a chama *dentro* de alguém. As punições e recompensas são dois lados da mesma moeda, e nenhum dos dois produz a motivação verdadeira, apenas uma atividade temporária, coagida ou manipulada.
– Mas usar punições e recompensas não é o mesmo que afagar e dar palmadas? – perguntou o pastor, com um pouco menos de insolência.
– Acho que não – disse a enfermeira, balançando a cabeça. – As punições e recompensas são impessoais, e se resumem em chutar e subornar as pessoas, manipulando-as para

obter alguma coisa em troca. Afagar e dar palmadas, como definimos aqui, são meios para construir relacionamentos e ajudar as pessoas a elevarem seu padrão de excelência. Uma coisa tem a ver com manipular alguém em busca de benefícios individuais, a outra com influenciar pessoas para o bem da comunidade.

– Está bem, está bem, isso eu entendi – admitiu o pastor, com relutância. – As recompensas e punições não são verdadeiros fatores de motivação. Então, o que motiva as pessoas?

– Como líder – respondeu o sargento – minha tarefa é criar as condições necessárias para acender um fogo interior nas pessoas. Não se consegue fazer isso com todas, mas com a maioria. A meu ver, as condições necessárias incluem liderança, senso de missão, valores, excelência, envolvimento, comunidade e amor. Vocês se lembram do filme *Campo dos sonhos*, com Kevin Costner? A mensagem era "Se você construir, eles virão".

– E o que acontece se o fogo não se acender em alguém? – quis saber a enfermeira.

A diretora ofereceu mais uma citação:

– Vince Lombardi gostava de dizer que, se a pessoa não se inflamar de entusiasmo, será queimada com entusiasmo!

O sargento riu, parecendo satisfeito com a resposta.

Simeão nos levou adiante:

– Chris disse que treinar pessoas é motivá-las e desenvolvê-las para darem o melhor de si. Falamos da motivação, mas como desenvolver as pessoas?

– Começa-se pelo básico, que são os três Fs – respondeu a treinadora, sem hesitar. – Aprendi isso há muito tempo, num programa de treinamento, e ao longo dos anos tem sido algo de valor inestimável para mim.

– Três Fs? – perguntaram a diretora e a enfermeira, em uníssono.

– Funciona assim – continuou a treinadora –: o primeiro F é de Fundamentos, que significa estabelecer o padrão, as condutas, as regras e os deveres esperados em casa ou na empresa. O líder deve ser de uma clareza cristalina quanto a isso, porque tudo o que vem depois depende de uma fundamentação bem definida.

– Isso é bom – concordei. – Todo mundo, crianças ou adultos, tem duas perguntas subconscientes fundamentais, ao entrar numa organização: como devo me portar, e o que acontece se eu não fizer isso?

– Exatamente, John – confirmou a treinadora. – O segundo F é de Feedback. Quando as pessoas começam a ter um desempenho diferente dos padrões estabelecidos, o líder deve oferecer-lhes um retorno a respeito das defasagens observadas, especificamente das defasagens entre o padrão estabelecido e o desempenho apresentado. E esse feedback deve ser direto, no momento oportuno, e com uma franqueza absoluta.

Kim quis certificar-se de haver entendido:

– Então, se o meu desempenho estiver acima do padrão, o líder me dará um feedback sob a forma de apreciação, reconhecimento e recompensas, certo? E, se meu desempenho ficar abaixo do padrão, ele me dará feedback e treinamento apropriados para que eu alcance ou supere o padrão.

– A essência é essa, Kim – disse Chris, com um sorriso. – E isso nos leva ao terceiro F, de Fricção ou atrito. Quando há defasagens abaixo do padrão, o líder deve fornecer a fricção necessária para que elas sejam eliminadas.

– E é por isso que o líder deve ser muito claro e preciso ao estabelecer os padrões e expectativas – disse eu, captando a ideia.

– Não se pode aplicar multas por excesso de velocidade quando não existem placas de limite de velocidade claramente instaladas.

– E como criar esse atrito necessário? – perguntou a enfermeira. – Como eu disse, não sou muito boa nisso.

Entrei na conversa, tentando ajudar:
— Acho que começa, Kim, quando confrontamos claramente as pessoas com os fatos e montamos um plano para eliminar as defasagens. Quando fornecemos as ferramentas necessárias para que elas atinjam a excelência, como aprendemos antes. Você concorda com isso, Greg?
— Sim, John, a essência é essa. Nas forças armadas, quando há necessidade de ação corretiva ou de fricção, utilizamos um processo chamado de três Es.
— Esse eu gostaria de conhecer! — retruquei, animado.
— O primeiro E é de Estabelecer a defasagem. Esse passo é crucial, e exige que a pessoa concorde que há de fato uma defasagem entre o padrão e o desempenho observado. Isso exige que o líder esteja plenamente preparado para mostrar a defasagem de forma clara, e não emotiva.

A diretora assentiu com a cabeça e disse:
— De fato, é muito difícil consertar uma coisa quando não se consegue concordar que ela precisa de conserto.
— Isso mesmo — confirmou Greg. — Em seguida vem o E de Explorar as razões da defasagem. É indispensável que o líder e o subordinado se envolvam ativamente na pesquisa para determinar as razões que geram o problema. O líder deve falar pouco durante essa fase da entrevista, mesmo que haja momentos de um silêncio incômodo. Descobri que é comum surgirem informações valiosas nesses momentos de silêncio. O líder deve resistir à tentação de preencher o silêncio com sua fala. Deve lembrar-se que a defasagem é do outro, não dele.
— Bem pensado, Greg — incentivei-o, enquanto tomava notas furiosamente.
— O terceiro E é de Eliminar a defasagem. Isso requer um plano de ação que detalhe os comportamentos específicos que devem mudar, as datas e horários das reuniões de acompanhamento, e

a clara explicitação das consequências, se a defasagem não for sanada. O líder, Chris, deve expor essas coisas com clareza, e depois fazer o acompanhamento. Inúmeros líderes deixam de fazê-lo. A execução adequada dos três procedimentos é indispensável!

A enfermeira estava encantada:

– Adorei isso! O genial é que tudo que você descreveu não deve ser um acontecimento emocional. Não precisa haver lágrimas nem ranger de dentes, porque trata-se de algo baseado nos fatos, em vez de ser pessoal.

– Essa é a beleza da coisa, Kim – sorriu o sargento. – É mais ou menos assim: "Aqui está o nosso padrão e aqui está o seu desempenho. Há uma defasagem entre um e outro. Como seu líder, estou aqui para compreender as razões dessa defasagem e ajudá-lo a elevar o padrão. Se o problema não for resolvido, haverá consequências." Você tem razão, Kim: de fato não precisa ser um momento cheio de emoções.

– Estou aprendendo muito com vocês! – reagiu Simeão, empolgado, atravessando a sala para pegar outro cavalete e papel onde começou a escrever:

Três Fs do treinamento

- **F**undamentos – Estabelecer o padrão
- **F**eedback – Identificar e comunicar a defasagem entre padrão e desempenho
- **F**ricção – Eliminar as defasagens

Três Es da disciplina construtiva

- **E**stabelecer a defasagem
- **E**xplorar as razões da defasagem
- **E**liminar a defasagem

Capítulo 15

Compromisso

*Há uma grande diferença entre
estar envolvido e comprometer-se com algo.
Da próxima vez que estiver comendo bacon com ovos,
pense nisto: a galinha se envolveu,
mas o porco comprometeu-se com o prato.*
— UM FAZENDEIRO SÁBIO

SIMEÃO OLHOU PARA A TREINADORA E, captando a deixa, Chris ofereceu sua segunda contribuição:

— Em meus muitos anos no ensino superior e no cargo de treinadora, trabalhei com alguns líderes excepcionais. E, acreditem, tive minha quota de líderes pavorosos. Para mim, uma qualidade que se destacou nos grandes líderes foi que eles eram pessoas com muito senso de compromisso.

Simeão foi direto para o quadro:

Liderança = Compromisso

Mas o professor queria mais:

— Chris, continue, por favor, e seja o mais clara que puder. Creio que o que você está apontando é crucial para a liderança.

Fiquei encantado com a capacidade de Simeão de tirar o melhor das pessoas. Dois anos antes, ele havia comentado comigo que nós todos, juntos, éramos mais inteligentes do que qualquer um de nós separadamente. Observá-lo em ação provou que ele de fato acreditava nisso.

Ou seja, ali estava um verdadeiro astro dos executivos da sua geração, que recebia um salário anual de mais de um milhão de dólares, o que era considerado um escândalo na sua época. No entanto, depois da morte de sua mulher, ele abandonara tudo para viver nesse mosteiro. Era dotado de uma humildade verdadeira, e de um espírito curioso e receptivo ao ensino que era contagiante, e criava em cada um de nós o desejo de contribuir, cavar mais fundo e crescer com ele.

A treinadora piscou para Simeão e disse:

– Achei que você iria pedir isso, e por isso pensei um pouco no assunto, para poder ser mais explícita. Os grandes líderes que conheci eram totalmente comprometidos com duas coisas específicas: aprimoramento contínuo e excelência. Demonstravam esse compromisso através de sua própria excelência e de sua disposição permanente de mudar, crescer e se aprimorar. Com seu exemplo, inspiravam os outros a crescer e a dar o melhor de si à equipe e à missão.

– Grande colocação, Chris – disse a diretora. – Penso que todos concordam que o aprimoramento contínuo é importante, mas o problema é que não podemos nos aprimorar se não mudarmos.

Concordei:

– Albert Einstein dizia que a definição de insanidade é continuar a fazer o que sempre se fez e esperar resultados diferentes.

– Mas mudar é difícil – lamentou-se a enfermeira. – Vamos ser francos: afora um bebê com a fralda molhada, quem gosta de trocar alguma coisa?

O sargento riu.

– Meu avô era agricultor e costumava nos dizer que ou a pessoa estava verde e crescendo, ou madura e apodrecendo. É preciso escolher, porque nenhum ser vivo permanece o mesmo. Ainda que você pense que é igual ao que era há um ano, a vida passa numa velocidade tão grande que, se não crescermos, andamos para trás.

Simeão assentiu com a cabeça e disse:

– Sim, estou convencido de que os grandes líderes compreendem que o compromisso com o aprimoramento contínuo e com o crescimento é essencial para as pessoas saudáveis que irão compor organizações saudáveis.

A enfermeira nos instigou a prosseguir:

– Certo. É muito claro que não podemos nos aprimorar, a menos que mudemos. Também é verdade que nem toda mudança é progresso, como é igualmente verdadeiro que não pode haver progresso sem mudança. Portanto, a questão não é mudar por mudar. Chris disse que havia dois lados nessa moeda do compromisso. Aprimoramento contínuo *e* excelência.

– É isso aí. Obrigada, Kim! – exclamou a treinadora. – O meu treinador favorito de todos os tempos é Vince Lombardi, que dizia com frequência a seus times: "Senhores, vamos buscar a perfeição, e vamos buscá-la de forma incessante, sempre sabendo que jamais poderemos atingi-la. No caminho, porém, alcançaremos a excelência."

Simeão gostou e completou:

– Essa questão da excelência é crucial, meus amigos. Minha experiência mostrou-me que estar perto da excelência inspira e motiva as pessoas! Levei anos no mundo empresarial para perceber que a melhor maneira de o líder destruir o moral de qualquer grupo de pessoas é tolerar a mediocridade.

– Estou absolutamente de acordo, Simeão – declarou o sargento. – As estrelas de qualquer time não se rendem nunca à mediocridade. Creio que a vasta maioria das pessoas quer fazer parte de algo especial, algo excelente. Quem é que acorda de manhã querendo levar uma vida medíocre? Porque a vida não é um ensaio geral. É o que acontece e o que fazemos a cada dia.

A professora estava rindo, enquanto pegava o celular.

– Deixem-me ler uma coisa para vocês, se eu conseguir achá-la.

Ela teve de fuçar um pouco em seus arquivos até encontrar:

– Um sábio general da Segunda Guerra observou: "O moral elevado sempre existirá, enquanto o soldado achar que seu exército é o melhor do mundo, seu regimento, o melhor do exército, sua companhia, a melhor do regimento, seu pelotão, o melhor da companhia, e que ele próprio é o melhor soldado nisso tudo." Vocês não adoram isso?

– Sim – afirmou o sargento. – Outro general comentou que não existem pelotões fracos, apenas líderes fracos. Descobri que isso também é verdade.

O professor mostrou-se entusiasmado:

– Deixem-me repetir: a mediocridade destrói o moral! Não pensem que estão fazendo nenhum favor a alguém se aceitarem um desempenho medíocre de um membro da equipe.

– Exatamente, Simeão – concordou o sargento. – Quando toleramos a mediocridade, quando deixamos de exigir a excelência, as únicas pessoas a quem servimos somos nós mesmos. Evitamos a chateação e o esforço necessários para liderar.

A treinadora acrescentou:

– Algum de vocês já teve um filho participando de uma equipe acadêmica ou de um time esportivo, num campeonato estadual? Já teve de brigar com ele para que fosse aos treinos ou aos eventos? É claro que não, porque ele queria estar lá! Não queria perder nada. A excelência é motivadora por si só.

– É! – exclamou a enfermeira, quase se levantando da cadeira outra vez. – Quando as pessoas fazem parte de alguma coisa realmente excelente, elas ficam inspiradas, querem contribuir, vasculhar mais fundo, e nunca pensariam em decepcionar sua equipe. Agora eu entendo! A excelência inspira e motiva as pessoas a serem as melhores possíveis.

— Isso mesmo, Kim — anuiu o sargento. — E a mediocridade, ao invés disso, promove a apatia e derruba o moral da equipe.

Teresa, nossa máquina de citações, saiu-se com esta:

— Há dois mil e trezentos anos, Aristóteles disse aos seus seguidores: "A excelência é um hábito." Hoje, vocês estão me lembrando quão verdadeira é essa afirmação. E também reconheço a mediocridade como um mau hábito que os líderes devem evitar.

A enfermeira continuava empolgada:

— Agora que estou pensando nisso, creio que, como líderes, temos a obrigação moral de pressionar a equipe a aprimorar-se continuamente em busca da excelência. Não foi isso que nos comprometemos a fazer, não é para isso que nossa organização nos paga? A maioria das pessoas cresce ou se acomoda conforme as expectativas do líder. Quando as expectativas são baixas, as pessoas reagem de acordo com isso. Quando a maré sobe no porto, os barcos sobem com ela. Caso contrário, não navegam.

Simeão observou:

— Eu gostaria de somar a essa discussão sobre a excelência a importância da execução, porque compromisso exige que se leve as coisas à sua conclusão. No entanto, muitos líderes pulam de um projeto para outro, sem assumirem o firme compromisso de levar as coisas até o fim.

— Apoiado — resmungou a enfermeira. — No hospital em que trabalho, a cada dois meses a direção toma uma nova iniciativa e contrata mais um consultor metido a besta. A maioria dessas ideias temporariamente populares tem algum valor, mas nunca ficamos com uma delas por tempo suficiente para ver sua conclusão. Parece que nunca atingimos a excelência em coisa alguma.

O professor fez as observações finais:
– Temos um compromisso ou estamos apenas envolvidos? Estamos comprometidos com a excelência e o aprimoramento contínuo, ou isso são apenas palavras sem conteúdo que repetimos? Podem ter certeza disto: são nossos atos cotidianos que deixam transparecer para todos aqueles que lideramos aquilo em que acreditamos de verdade.

Enquanto eu refletia sobre a sabedoria dessas palavras, ouvi um grunhido, vindo do canto da sala em que o pastor estava sentado. Então me dei conta de que fazia algum tempo que ele não dizia uma palavra, e olhei de relance para o lugar da sua cadeira. Ela estava virada para a janela, e Lee olhava para fora, com ar entediado e irritado.

Resmunguei uma rápida oração, pedindo forças para não lhe dar uns tabefes, ou coisa pior, antes que o fim de semana acabasse.

Capítulo 16

Humildade

Foi o orgulho que transformou os anjos em demônios; é a humildade que transforma os homens em anjos.

– Santo Agostinho

Simeão anunciou que o intervalo de duas horas para almoço seria por nossa conta, e que a cozinha estava bem suprida de tudo o que pudéssemos precisar.

O grupo dirigiu-se depressa para a porta, apanhando seus celulares para verificar suas mensagens.

Seguindo o exemplo de Simeão, resisti à comida e ao impulso de me conectar com o mundo externo, e optei por passear pelo terreno do mosteiro. Resolvi procurar a trilha que tinha avistado do refeitório na véspera, e logo me descobri em uma densa floresta de pinheiros.

O chão da trilha parecia acolchoado, como se eu andasse sobre um piso de borracha, provavelmente graças ao acúmulo de folhas caídas ao longo dos anos. O perfume sob as copas dos pinheiros gigantescos era inebriante.

A quietude fora do comum me fez refletir sobre a imensa quantidade de ruídos e distrações em que havia se transformado minha vida. Absorto em pensamentos, fui seguindo a linda trilha sinuosa e entrando cada vez mais na floresta.

Passado algum tempo, parei e dei uma última olhada para a trilha e fiz meia-volta, pois não queria me atrasar para nossa sessão vespertina. De repente, sem razão aparente, voltei a ser tomado por emoções fortes, o que me deixou irritado. Após dois episódios ocorridos nesse retiro, achei que minha quota de emoção tinha se esgotado.

Mas ouvir aquelas verdades sobre a liderança e compará-las com o estado atual da minha vida era devastador. Tornei a sentir um aperto no peito e me encostei num pinheiro ancestral, tentando em vão conter outra enxurrada de lágrimas.

Por fim, recompus-me e fui caminhando pela trilha até voltar ao campus.

QUANDO ENTREI NA SALA, vislumbrei pelo canto do olho o pastor que se aproximava. Mais do que depressa, tentei uma manobra para evitá-lo, porém era tarde demais.

Ele segurou meu paletó, inclinou-se para mim e cochichou:

– Acho que Simeão está perdendo o senso de realidade, não acha? Mas, enfim, a velhice faz isso com as melhores pessoas. Para dizer a verdade, estou farto de escutar a mesma ladainha sobre liderança. E você?

Mal consegui acreditar no que aquele idiota estava me dizendo.

– É mesmo? – foi tudo que consegui resmungar, antes de lhe dar as costas e voltar para minha cadeira, me segurando para não explodir.

– Qual é o seu problema? – ele falou bem alto, para espanto dos outros que chegavam na sala.

Senti o sangue subir.

Felizmente, o carrilhão bateu duas horas.

SIMEÃO CONTEMPLOU O QUADRO por alguns segundos, admirando nossa lista coletiva de atributos da liderança. Eu me sentia bastante orgulhoso do que havíamos produzido.

– Ainda não ouvimos você, Simeão – joguei a isca, na esperança de que ele a mordesse.
O professor balançou a cabeça e aproveitou a deixa. Dirigiu-se ao quadro e escreveu, devagar:

Liderança = Humildade

O pastor manifestou-se de cara:
– Não posso concordar com isso. Tentei levar as coisas na base da humildade quando assumi minha última paróquia e tudo o que consegui foi uma grande revolta na congregação. O líder deve estar no comando o tempo todo. Minha experiência é que a humildade passiva abre espaço para que os outros tomem conta e promove a anarquia. As pessoas precisam do líder para dirigi-las e dizer-lhes o que fazer. Na verdade, é para isso que o pagam. A humildade também nos faz pensar menos em nós, ou achar que não estamos à altura dos outros em algum sentido. Esta não é uma qualidade que eu buscaria num líder.
Senti uma vontade desesperadora de esbofeteá-lo. Só uma vez.
Em contrapartida, Simeão o enfrentou com respeito, num esforço evidente de tentar compreendê-lo:
– Lee, eu pensava algo parecido, por isso acho que consigo entender a sua visão. Mas minha compreensão da humildade evoluiu e já não penso nela como algo passivo, ou como ter uma opinião inferior de si mesmo. Ao contrário, os líderes humildes são afirmativos e certamente não têm uma opinião negativa a seu próprio respeito. Na verdade, passam pouco tempo pensando em si, porque estão concentrados nas necessidades de seu pessoal e da organização. Os líderes humildes concentram-se *no outro*, não *em si*.

A treinadora concordou com a ideia, acrescentando:

– Humildade não é ter uma opinião negativa a respeito de si. É pensar menos em si mesmo.

– E essa é exatamente a minha experiência com os melhores líderes militares que conheci, Simeão – confirmou o sargento.

– Os líderes humildes não ficam acordados de madrugada, pensando no escritório de luxo que terão, na próxima condecoração ou em maiores regalias. O que os mantém despertos é saber se as necessidades de seus subalternos estão sendo atendidas. Será que eles têm as ferramentas, o treinamento, os objetivos, as regras da casa, a comunicação, os afagos e palmadas? Em suma, o pessoal que eles lideram tem tudo de que necessita para vencer e cumprir sua missão? Esses líderes não estão focados em seus direitos de liderança. Seu foco volta-se para suas responsabilidades de liderança.

A clareza das palavras do sargento me impressionou.

– E, como vimos ontem, as responsabilidades de liderar são enormes – disse a enfermeira.

Examinando seu telefone, a diretora informou:

– Meu dicionário define humildade como a característica de ser autêntico, não soberbo nem arrogante, e de mostrar uma ausência de orgulho excessivo.

– Obrigado, Teresa – agradeceu Simeão, sorrindo. – E, já que você gosta tanto de citações, tenho uma para lhe dar. Séculos atrás, um místico muito sábio disse: "Se pudéssemos ver-nos como realmente somos, seríamos deveras humildes."

– Gostei disso – declarou a diretora. – A pessoa humilde não é pretensiosa, não tem uma visão aumentada e distorcida dela própria. Ela se vê como realmente é. Como um ser humano falho e esforçado, como qualquer um de nós que veio ao mundo sem nada e que sem nada o deixará.

O pastor finalmente fez uma contribuição:

– Os cemitérios estão cheios de pessoas indispensáveis! Ainda estou para ver um carro fúnebre rebocando um caminhão de mudança nos funerais que oficio. Gosto de dizer às pessoas que ninguém vai sair vivo deste mundo!

Cheguei a rir do comentário do Lee, embora ainda estivesse fantasiando sobre maneiras de esbofeteá-lo.

A conversa sensibilizou a treinadora:

– Concordo com Simeão quando ele afirma que a humildade é importantíssima. Para mim, humildade é ser receptivo à aprendizagem. Conheço muitas pessoas arrogantes que pensam saber tudo e se acham espertas demais para receberem ajuda ou serem avaliadas.

A enfermeira falou baixinho:

– As pessoas orgulhosas querem ter razão, as humildes querem fazer o que é certo. Eu concordo, Chris. Nos serviços de assistência à saúde, conheço uma porção de médicos e administradores cheios de si e donos da verdade. Eles são terríveis.

– Uma das executivas mais eficientes que conheço – acrescentei – trabalha numa empresa associada à nossa. É uma mulher que se mostra inteiramente à vontade para dizer coisas do tipo "Não sei, o que você acha? Quais são suas ideias? Desculpe, eu estava errada. Por favor, questione o meu raciocínio nessa questão". Sempre vi esse tipo de comentário como sinal de fraqueza, mas me parece que minha visão precisa mudar. A equipe dela seria capaz de atravessar paredes se ela pedisse.

– Fico feliz por você estar crescendo, John – incentivou-me Simeão. – A humildade envolve tirar a máscara do "eu sou o maior". Envolve a receptividade a opiniões contrárias. O abade, que é nosso humilde líder aqui no mosteiro, sempre diz nas nossas reuniões que, se estamos todos pensando a mesma coisa, alguns de nós não estão pensando.

— Meu chefe expressa isso em termos um pouco mais rudes — eu disse. — Nas nossas reuniões mensais, é comum ele afirmar que, se todos os dez concordam em tudo, nove são desnecessários. Já disse até que quer saber o que estamos pensando, mesmo que isso custe nosso emprego! Mas, no fundo, sabemos que ele valoriza nossas ideias e opiniões. Sabemos que aquele é, de fato, um lugar seguro para expressarmos opiniões contrárias e realmente dizermos o que pensamos. Pensando bem, não sei por que não crio um ambiente assim para meus subalternos, ou para minha família.

— Eu me orgulho de você, John. Foi humildade sua dizer isso — retrucou o professor, fitando-me diretamente nos olhos.

Passados alguns momentos, o sargento resumiu tudo para nós:

— A humildade é crucial para a liderança por uma razão muito básica e pragmática. O oposto da humildade é a arrogância. Se a essência da liderança é inspirar e influenciar pessoas em suas ações, basta se perguntar: "As pessoas arrogantes são capazes de inspirá-lo?"

CAPÍTULO 17

Caráter

*Caráter é o que você é no escuro,
quando não há ninguém olhando.*
– Dwight Moody

Permanecemos sentados em silêncio. Ao contrário de Simeão, que não se mostrava nem um pouco incomodado, eu me sentia desconfortável com o silêncio. A julgar pelo modo como ele se remexia na cadeira, deduzi que o pastor também não era muito amante do silêncio. No momento em que achei que Lee ia implodir ou entrar em combustão espontânea, ele quase gritou:
– Então, seguindo em frente...
Sem o menor sinal de irritação, Simeão foi até o quadro e escreveu:

Liderança = Caráter

– Concordo inteiramente, Simeão – disse o sargento. – Essa resume todas as outras. O comandante da minha base nos diz, constantemente, que nossa liderança é nosso caráter em ação.
Teresa precisou de uma definição:
– É melhor definir nossas palavras aqui, turma. As palavras que usamos são importantes e significam coisas diferentes para

as pessoas. Por isso, Greg, vamos saber com precisão o que você quer dizer quando usa a palavra *caráter*.

— Com prazer, Teresa. Caráter é fazer o que é certo. É vencer aquelas batalhas internas entre o que a gente quer fazer e o que deve fazer. Caráter é a nossa maturidade moral. Com isso me refiro à disposição de fazer o que é certo, mesmo quando não sentimos vontade, ou quando nos custa alguma coisa. De fato, especialmente quando nos custa alguma coisa, pois não tenho certeza de que possa tratar-se de um ato de caráter se não custar algo.

— Bem colocado, Greg — comentei, sempre impressionado com sua clareza.

Ele prosseguiu:

— Caráter é a coragem de fazer o que é certo diante de pressões ou inclinações em contrário, correndo o risco de que as pessoas não gostem de nós ou fiquem aborrecidas conosco. A parte difícil da vida não é saber qual é a coisa certa a fazer. O difícil é fazê-la.

A enfermeira objetou, baixinho:

— Mas já dissemos que a liderança é uma habilidade, uma capacidade aprendida ou adquirida. Nossa personalidade e nosso caráter são, basicamente, coisas com que já nascemos, não é?

Ali estava um assunto sobre o qual eu tinha algum conhecimento.

— A minha mulher me disse que personalidade e caráter são coisas bem diferentes. Como vocês sabem, Rachel é psicóloga, e na área dela há um consenso de que a personalidade já está estabelecida por volta dos seis anos de idade. Ela poderia aplicar um teste rápido em cada um de nós, e dizer como é a personalidade de cada um. Todos vocês já ouviram rótulos como introvertido e extrovertido, dominante ou passivo, reflexivo ou sensitivo, etc.

— Concordo — declarou a enfermeira. — Não é um seminário ou um livro que nos faz passar da personalidade do Tipo A para a do Tipo B.

— Exato — continuei. — Os psicólogos costumam concordar que a personalidade se define por volta dos seis anos, e o nível de inteligência, ou QI, aos quinze. Mas não o caráter. Daí o termo "maturidade". Para usar as palavras do Greg, maturidade moral, que é a vontade, a decisão, a opção por fazer o que é certo.

— Isso mesmo! — exclamou o sargento. — Ei, você seria útil nas forças armadas, John!

— Do jeito que as coisas andam para mim, ultimamente, talvez eu pense em me alistar — respondi, meio de brincadeira.

O sargento continuou a pleno vapor:

— Na liderança, trata-se de caráter, não de estilo ou personalidade. Basta olhar para os grandes líderes da história, com personalidades e estilos muito diferentes. Considerem um treinador como John Wooden, comparado a Bobby Knight, ou líderes empresariais como Steve Jobs e Mary Kay, ou militares como o general Eisenhower e o general Patton, ou religiosos como Billy Graham e Martin Luther King. Todos tinham personalidades e estilos diferentes, mas eram líderes eficazes, cada qual a seu modo.

A enfermeira não pareceu convencida e retrucou:

— Então, você está dizendo que a personalidade é fixa, mas o caráter é flexível e mutável. Não seria justo dizer que nascemos com caráter? Que nascemos basicamente bons? Não é essa a nossa verdadeira natureza?

— Nascemos bons? — disse o pastor, com um risinho irônico. — Alguém já teve que ensinar os filhos a serem maus? As crianças de dois anos são a síntese da natureza humana, quando irrompem pela casa declarando "primeiro eu!". Algumas pessoas superam esse estágio, outras não.

Não era uma colocação de todo má, para alguém que eu havia descartado completamente.

– Ótimo ponto, Lee! – exclamou Simeão, deixando-me um tanto enciumado. – Acho que o ser humano tem uma boa noção de bom e mau, certo e errado: um senso moral, se quisermos chamar assim. Mas isso não significa que nascemos moralmente bons, porque nosso senso inato de moral compete com outras ânsias naturais e com o estímulo vital que nos impulsiona sem cessar. A diferença entre o estímulo que nos bombardeia e nossa resposta a esse estímulo é o caráter. Nosso caráter é diariamente elaborado no cadinho das nossas escolhas.

– Minha mulher me diz que todo dia fazemos centenas de escolhas ligadas ao caráter – comentei. – Escolhas como ser respeitoso ou desrespeitoso, paciente ou impaciente, gentil ou indelicado, humilde ou arrogante, sincero ou falso. Somos criaturas do hábito, de modo que nossas escolhas acabam se tornando nossos hábitos. Nossas escolhas nos tornam quem somos.

Como de praxe, a diretora tratou logo de fazer uma citação:

– Certa vez, um sábio disse que nossas ideias tornam-se nossos atos, nossos atos tornam-se nossos hábitos, nossos hábitos tornam-se nosso caráter e nosso caráter torna-se nosso destino.

– Excelente, Teresa! – reagiu Simeão, encantado. – Mas nunca se esqueçam, meus amigos, de que, embora sejamos livres para fazer escolhas, não somos livres para escolher as consequências de nossas escolhas. Outros, e especialmente aqueles que são confiados aos nossos cuidados, têm de conviver com as consequências de nossas escolhas.

Outro murro no meu estômago.

Mais silêncio, e então:

– Acabo de ter uma epifania! – gritou de repente a treinadora.

Fui obrigado a perguntar:

– Desculpe a ignorância, mas o que é epifania?

O pastor não deixou escapar:
— Se fosse à igreja com mais frequência, você saberia!
Antes que eu pudesse replicar, Teresa já havia consultado a palavra no celular e disse:
— Epifania é o súbito reconhecimento da natureza ou significado de alguma coisa.
— Por favor, divida conosco o seu "súbito reconhecimento", Chris — brinquei, querendo desviar a atenção do pastor.
A treinadora levou alguns instantes para ordenar as ideias:
— Liderança é uma simples questão de fazer o que é certo com as pessoas que lideramos. É ser paciente, gentil, agradecido, respeitoso e humilde. É ser franco, dizer a verdade e cobrar a responsabilidade por seus atos. É também ter um compromisso com a excelência e o aprimoramento contínuo, e ser capaz de inspirar a equipe para que ela seja a melhor possível. Portanto, liderar é simplesmente fazer o que é certo. E caráter é fazer o que é certo. Em suma, a liderança é o caráter em ação. Agora ficou muito claro para mim! Por que não percebi isso antes?
A diretora estava pronta com outra citação:
— Diz um provérbio budista que, quando o discípulo está pronto, aparece o mestre.
— Pode ser, Teresa — disse a treinadora. — Mas fico perplexa ao ver como são simples e óbvias essas verdades sobre a liderança.
— Óbvias? — continuou a questionar o pastor.
— É claro, óbvias, Lee — retrucou a treinadora, num tom meio irritado. — Você consegue imaginar alguém dizendo que preferiria um líder impaciente, indelicado, arrogante, desrespeitoso, egoísta, inclemente, falso e sem compromisso?
— É uma grande verdade, Kim — concordou Simeão. — O mundo está muito necessitado de líderes de caráter, que sirvam a seus subordinados, identificando e atendendo as necessidades deles, e desse modo, influenciando-os na ação e na busca da excelência.

Voltamos a nos calar, mas, dessa vez, deixei o silêncio aprofundar-se mais em meu ser.

De modo inesperado, do silêncio me veio de repente uma ideia, que na mesma hora compartilhei com o grupo:

– Talvez devêssemos incluir o caráter na nossa definição de liderança. Agora isso também me parece bastante óbvio.

– É para já, John – disse Simeão, dirigindo-se ao quadro da extrema esquerda:

Habilidade de influenciar pessoas para que trabalhem com entusiasmo por objetivos identificados como voltados para o bem comum, com um caráter que inspire confiança e excelência.

CAPÍTULO 18

Crise

Quando escrita, em chinês, a palavra crise *compõe-se de dois caracteres: um representa perigo e o outro,* oportunidade.
– JOHN F. KENNEDY

APÓS O INTERVALO DA TARDE, Simeão ficou admirando o quadro todo preenchido com nossas contribuições.

– No meu tempo – começou –, um guru famoso do mundo dos negócios, William Deming, publicou seus célebres "14 pontos para gestão da qualidade", e eles se revelaram proféticos. Hoje, sinto orgulho em ver que produzimos nossos "14 pontos para a liderança".

Todos nós, com exceção do pastor, ficamos de pé, aplaudimos com entusiasmo e voltamos a nos sentar, em silêncio, revendo com orgulho a nossa lista.

"Bando dos Sete" – 14 Pontos para a Liderança

1) Liderança = Enorme Responsabilidade
2) Liderança = Influência
3) Liderança = Habilidade
4) Liderança ≠ Gerenciamento
5) Liderança ≠ Poder
6) Liderança = Autoridade
7) Liderança = Serviço

8) Liderança = Amor (em ação)
9) Liderança = Afagos
10) Liderança = Palmadas
11) Liderança = Treinamento
12) Liderança = Compromisso
13) Liderança = Humildade
14) Liderança = Caráter

Passados alguns minutos, a treinadora declarou baixinho:
– Estou com raiva!
Mas não me pareceu enraivecida.
– O que houve, Chris? – perguntou o professor, parecendo apreensivo.
– Ora, Simeão! – reagiu ela em voz alta, dessa vez com ar raivoso. – Nós falamos de muitas dessas verdades há dois anos, e de que adiantou? Ontem, quando você nos perguntou quem tinha realmente mudado, só o Greg levantou a mão. Acho que fiquei perplexa demais para tecer comentários na hora, mas pensei muito nisso essa noite. Quer dizer, de que adiantam toda essa conversa e esse treinamento, se não mudarmos de verdade? Por que, depois de dois anos, apenas um de nós conseguiu fazer mudanças mais profundas em sua vida?

Ouvir a treinadora verbalizar minha mais profunda frustração me trouxe um enorme alívio. Foi muito terapêutico saber que eu não estava sozinho.

Infelizmente, foi nesse momento solene do nosso fim de semana que o pastor resolveu falar o que estava pensando:
– Discordo plenamente! Tenho-me saído muito bem como líder. A única razão de eu não ter levantado a mão, ontem, foi porque achei a pergunta boba. Além disso, devo dizer que me sinto bastante entediado com essa recapitulação sobre a lide-

rança. Acho que estou pronto para passar para uma discussão mais avançada sobre o assunto.

Não aguentei mais e explodi:

– Você está brincando? Acha que entendeu alguma coisa? Faz dois dias que vem sendo grosseiro, agindo como um idiota. E agora quer passar para ensinamentos mais avançados? Dá um tempo! Você não tem noção de nada, cara. E ainda se diz pastor?

– Qual é o seu problema? – rebateu Lee. – O fato de a sua vida estar desmoronando não lhe dá o direito de projetar seus problemas em nós.

– Escute aqui, meu amigo – respondi, começando a me encrespar, mas o pastor me interrompeu:

– Não sou seu amigo.

O comentário me pegou desprevenido por uns dois segundos, mas logo me recompus e continuei de forma inflamada:

– Todo mundo aqui está farto de você e dos seus comentários debochados. Se não está interessado em ficar, por que não volta para o mundinho religioso e superficial de onde veio, e nos poupa da agonia da sua presença?

– Não é isso que eu sinto – interpôs Simeão, surpreendendo-me. – Fale em seu nome, John. Por favor, não presuma que está falando em nome do grupo.

Sua observação me magoou.

– Acho que todos precisam se acalmar – apaziguou a enfermeira. – Isso está ficando incômodo.

O rosto do pastor estava vermelho como um pimentão quando ele se levantou:

– Se é assim que o grupo se sente, vou embora. Não preciso disso!

Levantou-se, jogou suas anotações na maleta e saiu da sala num rompante.

Depois de alguns minutos, ouvimos o ruído do motor de um carro no estacionamento, seguido pelo barulho do cascalho voando, quando o pastor partiu furiosamente.

O grupo pareceu chocado e desolado.

Mas, para ser franco, eu me senti muito bem depois de desabafar. E melhor ainda por saber que o pastor tinha ido embora.

– O que foi isso tudo? – perguntei, sem me dirigir a ninguém em particular, recostando-me na cadeira e apoiando as pernas no banco mais próximo.

A JULGAR PELOS OLHARES GÉLIDOS que convergiram para mim, deduzi prontamente que o grupo não estava satisfeito comigo.

Simeão foi o primeiro a falar:

– Lamento que Lee tenha resolvido nos deixar, mas não posso dizer que esteja surpreso. Isso vinha se anunciando nos últimos dois dias e devo dizer que estou decepcionado com o fato de o grupo ter preferido ignorar o que estava claramente acontecendo. E agora, ficamos com esse desfecho lamentável.

– O que poderíamos ter feito, Simeão? – perguntou a enfermeira, meio sem jeito.

– Os grupos sadios não ignoram os sintomas óbvios de crise. Em vez disso, assumem a responsabilidade pelo sucesso e segurança do grupo...

– Não consegui suportar mais – interrompi, fazendo tudo o que podia para soar humilde e magoado. – Ele mexeu com meus nervos.

– Talvez ele tenha mexido com seus nervos, John, mas os nervos continuam a ser seus. Você tem de se responsabilizar por isso – falou Simeão.

O comentário me tocou e me fez parar para pensar.

– Por que você tinha de gritar com Lee daquele jeito? – perguntou a enfermeira, baixinho, deixando-me com a sensação de ter cometido um crime, ou coisa parecida.

– Kim – respondi, em tom defensivo –, às vezes é preciso gritar para chamar a atenção das pessoas e fazê-las entender que você está falando sério. O que acha disso, Simeão? Aposto que, na sua época, você deve ter dado umas boas broncas em alguns executivos.

– Não concordo, John – retrucou o professor, o que tornou a me magoar. – Ainda me lembro das quatro vezes, na minha carreira, em que perdi a paciência e a compostura com um subalterno, e até hoje me sinto mal com isso. Sempre acreditei que, se tinha de gritar com alguém para provar o meu ponto de vista, eu estava descontrolado. Afinal, como chefe, eu detinha todo o poder. Estava lidando com profissionais adultos, que eram livres para ir embora. Por que eu precisava gritar? Para me sentir melhor?

– Como vocês sabem – acrescentou o sargento –, eu vivia dando broncas nas pessoas, por achar que essa era a melhor maneira de deixar clara a minha opinião e confirmar quem estava no comando. E eu realmente me sentia melhor quando desabafava. Mas será que o meu pessoal se beneficiava de alguma forma com isso? Não, eles apenas guardavam raiva e ressentimento. Portanto, mais uma vez, eu estava servindo aos meus interesses, e não aos da minha equipe.

– John, você se lembra da nossa discussão de hoje sobre o treinamento? – perguntou a treinadora. – Existe um padrão e um desempenho que é comparado com esse padrão. É da defasagem entre os dois que precisamos falar. No caso do Lee, se havia defasagens que precisavam ser discutidas, quer se tratasse da conduta imprópria dele, ou do que quer que fosse, com certeza isso não precisava ser um acontecimento emocional.

A diretora também se manifestou:

— E isso faz um rombo enorme na conta emocional e relacional da pessoa que é atacada.

— E na de todos os que assistem à cena — acrescentou a enfermeira.

O silêncio tornou a pairar no grupo.

Por que estavam todos se unindo contra mim?

Por que ninguém me defendia?

Por que eu continuava ali?

Minha vontade foi de pegar meu material, sair intempestivamente da sala e fazer uma cena igualzinha à do pastor.

Até hoje dou graças por não ter feito essa escolha.

CAPÍTULO 19

Cabeça → coração → hábito

Falhar não é fatal,
mas falhar e não mudar pode ser.
— JOHN WOODEN

LÁ FICAMOS EM MAIS UM SILÊNCIO constrangido, até a abençoada intervenção da enfermeira. Kim era uma verdadeira salvadora, o que, erroneamente, julguei ser sempre uma virtude:
— Por que não voltamos ao ponto em que estávamos antes de o Lee ir embora? A Chris estava falando da angústia dela ao constatar que não houve uma mudança mais profunda e permanente no grupo, como resultado do tempo que passamos juntos há dois anos.
— O grupo pode escolher seguir por esse caminho, com certeza — disse Simeão, fazendo depois uma pausa, como se selecionasse cuidadosamente as palavras. — Ou pode escolher lidar com o que acaba de acontecer aqui.
A treinadora não hesitou:
— Estou com a Kim. Vamos em frente.
Ninguém mais falou, e por isso Kim prosseguiu, dirigindo seus comentários ao sargento:
— Então, voltando à questão de tornar a mudança mais profunda e permanente... Greg, acho que ninguém aqui pode negar que você mudou. E mudou muito. É difícil dizer isso, mas, há dois anos, senti você como um sargento supercontrolador,

arrogante e prepotente. E certamente não o vi como alguém capaz de acolher um questionamento sobre sua visão de mundo. Mas você mudou de verdade, Greg. Importa-se de explicar como isso aconteceu?

O sargento olhou para Chris, como se não soubesse ao certo como prosseguir. E então, aos poucos, as palavras foram saindo:

– Tenho de admitir que, em várias ocasiões, quase deixei o nosso primeiro retiro, convencido de que essa história de liderança servidora era conversa fiada, ou coisa pior. Mas Simeão disse algo que me fez pensar. Ele nos desafiou com uma pergunta bem concreta e simples, que me tirou o sono: "A sua liderança funciona para você?" Para descobrir a resposta, ele sugeriu que examinássemos as pessoas que liderávamos e influenciávamos, como familiares, amigos, subalternos e parceiros. E que depois nos perguntássemos se havia ou não bons frutos sendo produzidos. Essas pessoas estavam se desenvolvendo como resultado da nossa liderança? Estávamos deixando uma marca positiva? Nossos funcionários e parceiros estavam crescendo, por causa da nossa influência? Aceitei o desafio dele e fiz um exame franco e sério da minha vida. Para encurtar a conversa, não gostei do que vi. Você tem razão, Chris. Eu era tudo o que você disse, e mais até. Mas o pior é que eu estava cego para isso, completamente ignorante. E ativamente ignorante. Não era só o que eu não sabia, mas o que achava que sabia, apesar de não saber. Em termos emocionais, foi um momento bastante doloroso.

– E o que você fez? – perguntei, animado, ávido por respostas.

– Primeiro, reconheci a situação. Depois, decidi fazer alguma coisa a respeito.

– Pode dar mais detalhes, por favor – pediu a diretora.

– De início, tratei de colher dados das pessoas-chave da minha vida. Eu tinha, com certeza, uma visão exagerada e falsa sobre como vinha me saindo. O que eu precisava mesmo era de um retorno verdadeiro das pessoas que eu conduzia e influenciava. Foi muito, muito difícil. Pedir uma avaliação sincera foi humilhante. Vocês viram que eu não era grande coisa em matéria de humildade. Na verdade, cheguei a rezar, pedindo forças para conseguir, e olhem que não sou um sujeito religioso.

Ele respirou fundo e continuou:

– Comecei por minha mulher com quem tive longas conversas sobre o nosso casamento e sobre o que ela precisava receber de mim e que não estava recebendo. Fiz o mesmo com as crianças. Demorei um pouco para fazê-las falar, mas, quando falaram, fiquei arrasado ao saber o que realmente sentiam. Também marquei reuniões com vários colegas, com meu comandante e meus subordinados, a fim de saber o que pensavam sobre mim. Cheguei até a pedir uma avaliação confidencial de desempenho a um dos grupos que eu liderava. Os resultados foram brutais. Muito constrangedores. Humilhantes, essa talvez seja a melhor palavra.

– Deve ter sido duro receber todo esse retorno cara a cara, de uma vez só, hein? – perguntei.

– Duro é pouco, John. Primeiro entrei num processo de negação, depois fiquei com raiva, tentei justificar as coisas na minha cabeça e cheguei até a passar um tempo deprimido por causa das respostas. Demorei um pouco para finalmente começar a aceitar a realidade. E aí comecei a admitir o problema.

– Greg, as suas reações parecem iguaizinhas aos estágios da morte e do luto – observou a enfermeira. – Elisabeth Kübler-Ross descreve etapas muito semelhantes em seu livro clássico, *Sobre a morte e o morrer.*

– Disso eu não sei, Kim – retrucou Greg. – Só sei dizer que demorei algum tempo para elaborar tudo isso. Não vou chateá-los com todos os detalhes, mas montei um plano específico e mensurável de comportamento e tratei de levá-lo a sério. Escolhi alguns parceiros, entre eles minha mulher, meu chefe, dois colegas e alguns subalternos fundamentais, e passei a fazer uma verificação regular com eles. Também pedi uma avaliação confidencial, para obter mais retorno e determinar se estava melhorando e eliminando a defasagem entre o ponto em que eu precisava estar e o ponto em que me encontrava. Não aconteceu da noite para o dia, mas aos poucos fui obtendo um progresso sistemático.

– Greg, estou surpreso e encantado com o seu depoimento! Veja como o processo que você acaba de descrever é idêntico ao que a Chris nos trouxe ontem, os três Fs – disse Simeão dirigindo-se ao quadro onde estava anotado:

Desenvolvimento da Liderança

- Fundamentos – Estabelecer o padrão
- Feedback – Identificar e comunicar a defasagen entre padrão e desempenho
- Fricção – Eliminar as defasagens

Ele voltou-se para o grupo e continuou:

– O primeiro passo é lançar as fundações, os fundamentos do que é a grande liderança. Essa etapa é crucial, porque as pessoas precisam ter os seus conceitos questionados. Foi o que fizemos no primeiro retiro, e retomamos agora. Essa instrução deve ser regular e contínua. Não é possível ouvir esses princípios uma vez só e achar que eles foram incorporados. Nossos antigos conceitos estão muito arraigados, e para que se transformem e se reflitam em ações é preciso voltar a eles várias vezes.

– Mas é óbvio que isso não basta – lamentou a treinadora. – Caso contrário, mais alguns de nós teriam feito uma mudança mais significativa depois daquele primeiro retiro.

— Exatamente, Chris — concordou o professor. — Conhecer os conceitos não basta para 90% das pessoas. É apenas o primeiro passo. Precisamos de mais do que isso para mudar. Muito mais. Portanto, o segundo passo é a parte do feedback, ou seja, a identificação das defasagens entre o ponto em que estamos e aquele a que precisamos chegar como líderes. São nossos problemas, dificuldades e questões pessoais. E todos temos problemas.

— É, e se você acha que não tem problemas, isso é mais um problema! — acrescentou a diretora, rindo.

Não pude resistir:

— E se você continuar a achar que não tem problemas, é só perguntar a quem convive com você. Tenho certeza de que eles terão prazer em lhe dar feedback!

O grupo riu, o que me deu a esperança de que nem todos me detestavam, depois do vexame com o pastor.

Simeão continuou:

— Ao longo dos anos desenvolvi um questionário muito útil sobre feedback que chamei de Lista de Habilidades de Liderança. Eu imprimi uma cópia para cada um de vocês levarem para casa no final de nosso encontro.[1] O importante é se certificarem de que irão receber respostas significativas e dados confiáveis. Não pensem que se conhecem bem e que têm consciência das suas defasagens, ou de todos os seus problemas. Na verdade, minha experiência mostrou que muita gente não faz a menor ideia de suas questões. Isso não quer dizer que sejam más pessoas, apenas que não tiveram feedback suficiente na vida. E isso nos leva ao terceiro ponto, que é a fricção ou atrito. Aprendi com os anos que é preciso criar uma tensão saudável para que

---

[1] Nota do autor: Incluí esse instrumento na página 185.

as pessoas ajam com seriedade em busca da mudança e do aprimoramento contínuo.
– Como você criava essa tensão, Simeão? – perguntei.
– Nas minhas equipes, cada membro escolhia duas áreas, com base no feedback, e redigia um plano específico e mensurável do que pretendia fazer para melhorar o desempenho e eliminar a defasagem.
– E isso era suficiente para fazê-los mudar? – indaguei, cético.
– De jeito nenhum, John! Isso era só o começo. A partir daí, tínhamos encontros mensais e discutíamos nosso feedback específico uns com os outros. Também compartilhávamos nosso plano de ação e nosso progresso. Essas reuniões nos ajudavam a ser mais transparentes, vulneráveis e humildes uns com os outros. Depois íamos para as nossas equipes e fazíamos a mesma coisa. Compartilhávamos abertamente nossos resultados do feedback e dizíamos ao nosso pessoal o que pretendíamos fazer a respeito deles. Não havia possibilidade de se esconder. As pessoas só tinham uma escolha: levar a sério o crescimento e o cuidado com suas idiossincrasias, ou ficar numa situação tão incômoda que acabavam indo embora.

O professor fez uma pausa para organizar as ideias:
– Caros amigos, os meus anos de experiência me provaram que a parte mais difícil do desenvolvimento da liderança servidora não é levar as pessoas a concordarem com os princípios que a norteiam. Como já vimos, eles são evidentes. O difícil é fazer as pessoas mudarem, ajudá-las a passar esses princípios da cabeça para o coração e do coração para a vida cotidiana. Porque, se esses princípios não se transformarem em ações, serão apenas informações, e de pouco servirão.

Não pude resistir:
– Intenção menos ação é igual a nada, certo, Simeão?
– Exatamente, John.

Tive uma noite difícil, depois dessa aula. Antes de dormir telefonei para Rachel. Decidi mudar minha forma de me comunicar com ela, e resolvi apenas escutar e não me deixar fisgar por qualquer crítica ou acusação.

Talvez isso não pareça um grande esforço, mas fazia uma década que Rachel e eu ensaiávamos aquele passo, e era óbvio que não estava funcionando. Alguma coisa tinha de mudar. O comentário de Einstein sobre fazer a mesma coisa e esperar resultados diferentes me voltou à cabeça.

Como era nosso ritual, Rachel começou logo a reclamar, o que mexeu com os meus nervos. Mas, como me lembrara Simeão, tratava-se apenas dos meus nervos.

Ela me disse que o diretor da escola do John Jr. queria nos encontrar na segunda-feira de manhã, para falar a respeito do videogame pornográfico. E tornou a expressar sua decepção comigo, bem como a ideia de que eu precisava participar mais.

Fiquei firme na minha determinação. Empenhei-me em escutar e fiz um esforço ainda maior para compreender o ponto de vista dela.

Rachel tentou fisgar-me em mais umas duas questões, porém simplesmente me recusei a morder a isca. Minha resposta, ou, para ser mais exato, a falta da minha resposta habitual às suas queixas pegou-a desprevenida, e ela logo parou de reclamar de mim.

Sua última pergunta foi um simples "Você está bem?".

Eu disse que sim, que o retiro estava sendo proveitoso e que estava ansioso por revê-la no domingo à noite.

Rachel respondeu algo do tipo "Ah, bom, então, está bem" e nos despedimos.

Creio que ela intuiu uma mudança, embora provavelmente tenha imaginado que eu estava enfim tomando os calmantes que ela e seu médico haviam tentado me empurrar, sem nenhum sucesso.

No entanto, essa conversa não me fez sentir melhor. Pelo contrário.

Passei a noite toda remoendo os problemas da minha vida, enquanto observava uma aranha tecer metodicamente sua teia em volta da luminária acima da cama.

TERCEIRO DIA

CONSTRUINDO UMA COMUNIDADE

Capítulo 20

O presente

*Quando o discípulo está pronto,
aparece o mestre.*
— Provérbio budista

Simeão deu início à manhã final do retiro:
— Estabelecemos três metas para o fim de semana e atingimos duas. Revisitamos os princípios da liderança servidora e discutimos os passos necessários para colocá-los em prática de forma sustentável. Esses passos incluem estabelecer os fundamentos, obter feedback e proporcionar a fricção necessária para assegurar a mudança. Nosso terceiro objetivo era discutir como criar e manter uma equipe de alto desempenho e uma cultura saudável e vitoriosa. Estou convencido de que as organizações excelentes possuem dois elementos fundamentais: ótima liderança e ótima cultura. Até hoje, nunca vi uma exceção a este princípio.

Fiquei esperando ouvir um comentário sarcástico ou um questionamento, mas não houve nenhum. Então me lembrei que o pastor já não estava conosco.

Simeão continuou:
— Para começar nosso último dia, gostaria de compartilhar uma história real que envolveu este mosteiro e seu quase colapso e dissolução, muitas décadas atrás.
— Eu nunca soube disso, Simeão — reagiu a diretora, parecendo surpresa. — O João da Cruz é um dos mosteiros mais

bem-sucedidos e prósperos dos Estados Unidos. Como isso aconteceu?

– A história é a seguinte:

"O João da Cruz foi fundado por monges suíços de tradição beneditina, bem antes do começo da Guerra da Secessão, em 1854. O mosteiro prosperou, com uma liderança e uma cultura excelentes, até o fim da Primeira Guerra Mundial, quando ocorreu uma deterioração gradativa dos princípios fundamentais.

Em meados da década de 1920, só restavam o abade, que era o dirigente do local, e meia dúzia de outros monges, todos com mais de 75 anos. Nosso mosteiro não conseguia atrair novos membros e se tornou uma comunidade agonizante.

Bem, não muito longe daqui, vivia um velho rabino da sinagoga local, conhecido em toda a região como um homem de grande sabedoria. Um dia, depois das orações matutinas, o abade decidiu visitar o rabino e lhe perguntar se ele teria algum conselho que o ajudasse a salvar seu mosteiro moribundo.

Infelizmente, o velho rabino disse que não podia ajudar. Apenas se solidarizou com o abade e comentou que vinha enfrentando as mesmas questões e problemas em seu mundo. Disse acreditar que a espiritualidade do povo estava em declínio, e se mostrou preocupado com o futuro.

Terminada a visita, quando o abade ia saindo, implorou ao rabino que lhe desse alguma coisa, uma pequena informação, uma nesga de sabedoria que o ajudasse a salvar seu mosteiro. O rabino passou uns instantes calado, depois disse:

– Só há uma coisa que você precisa saber.

– Pois então diga-me o que é – insistiu o abade.

O velho rabino o fitou nos olhos, intensamente, e disse:
— Um de vocês é o Messias.

Sem saber como entender isso, o abade voltou para os irmãos que o aguardavam no mosteiro, ansiosos por saber o que dissera o rabino.

— Na verdade, ele não foi de grande ajuda — informou o abade, tristonho. — Mas disse uma coisa bem estranha quando eu ia saindo. Disse que o Messias é um de nós. Não faço ideia do que quis dizer com isso.

Nos dias seguintes ao encontro com o rabino, os monges passaram um longo tempo refletindo sobre suas palavras. O Messias é um de nós? Que história é essa? Será que o rabino é só um velho senil tentando nos insultar? Acreditamos que o Messias já veio. Ou haverá nisso algo mais profundo? Será que estamos deixando escapar alguma coisa? O que ele quis nos dizer?

Passou-se mais tempo, e os monges não conseguiam livrar-se da ideia incômoda de que havia um significado nas palavras do rabino. Assim, começaram a ponderar entre si. O Messias é um de nós? Será possível que o rabino tenha feito referência a um de nós, aqui no mosteiro? E, se foi assim, a quem?

Talvez seja o nosso abade. É, isso faria sentido, já que ele é nosso líder há muitas décadas.

Mas e o irmão Lucas? Ele é um homem espiritual e devoto, além de um de nossos residentes mais antigos. Mas Lucas está ficando meio senil, e é muito carente de atenção. Não poderia ser o Messias, não é?

Ou será que é o irmão Mateus? Ele está aqui há mais de trinta anos, embora quase tenha renunciado aos votos quando estava na casa dos quarenta, por causa de uma mulher que conheceu num retiro. Um escândalo! Por outro lado, desde aquele episódio, ninguém se mostrou mais dedicado do que ele. E o Mateus possui uma enorme sabedoria. Seria ele o Messias?

E que tal o irmão Tomás? Impossível! Seu único dom parece ser o de irritar as pessoas. No entanto, é verdade que o Tomás está sempre presente quando se precisa dele. É de uma enorme disponibilidade. Será que ele pode ser o inesperado Messias?

E quanto a mim? Serei eu o Messias? Essa é fácil. De jeito nenhum.

E assim o tempo foi passando.

Os monges continuaram a refletir sobre as palavras do rabino, mas, a partir daí, passaram a tratar uns aos outros com respeito e gentileza, provavelmente pensando na possibilidade de um deles ser de fato o Messias. E por causa disso, todos começaram a tratar a si mesmos com mais consideração e bondade.

Ora, as terras ao redor do mosteiro eram tão lindas e admiráveis naquela época quanto são hoje. Por isso, as pessoas da região continuaram a visitá-las, a fazer piqueniques, a caminhar, meditar e orar.

Em pouco tempo, os visitantes começaram a notar uma mudança. Ainda que sutil, as pessoas foram sentindo algo de especial na atmosfera do mosteiro. Havia uma aura de extraordinário respeito e bondade que ia cercando os velhos monges. Não se conseguia identificar muito bem o que era, mas havia algo misticamente cativante, até irresistível naquele lugar. E elas passaram a visitá-lo, atraídas de maneira irresistível.

E continuaram a vir.

E também passaram a trazer seus familiares e amigos, para lhes mostrar esse lugar especial. E os amigos trouxeram seus amigos e, não demorou muito, o mosteiro passou a ficar abarrotado de visitantes de toda a região e de outros lugares mais longínquos.

E um dia, aconteceu.

Um forasteiro bem jovem perguntou ao abade se poderia entrar para o mosteiro. Pouco tempo depois, outro fez o mesmo pedido. E depois outro, e mais outro.

E assim, em poucos anos, nosso mosteiro agonizante tinha voltado a ser novamente uma próspera comunidade.

Graças ao presente do rabino."

Capítulo 21

Se você construir...

*Se você acertar a cultura, quase todo
o resto praticamente cuidará de si.*
– Tony Hsieh, presidente da Zappos.com

— Puxa, adorei essa história, Simeão! – derreteu-se a enfermeira. – Há nela muitas verdades e lições.
— Sim, senhor, excelente – corroborou o sargento.
O professor pareceu satisfeito.
— Fico contente com a reação de vocês! Vamos discutir o que podemos aprender com essa história?
A treinadora adiantou-se:
— O que me saltou aos olhos foi constatar como os monges não tinham noção de nada! Quer dizer, lá estavam eles, vivendo numa instituição religiosa, mas sem se portarem com amor e respeito para com os próprios irmãos, que dirá para com o mundo externo. É mais ou menos como aquilo de que falamos ontem, quando a pessoa sabe de uma coisa, mas não a conhece de verdade.
— O que me impressionou – acrescentei – foi eles terem passado anos num processo de morte lenta, mas sem ao menos tentar enfrentar a situação, quase até o fim! Acho que, muitas vezes, não fazemos ideia do que acontece ao nosso lado. Talvez seja por isso que os psicólogos e os consultores vivem tão ocupados. Às vezes, precisamos de ajuda externa para ver

melhor o que acontece conosco. Considero que o mérito foi do abade que finalmente buscou ajuda.

– Ele não só buscou ajuda – concordou a diretora –, como foi procurá-la numa fonte meio hostil. Com isso me refiro a alguém cuja teologia era diferente da do abade e dos irmãos e que via o mundo por outra perspectiva. Não é simples fazer isso. É muito fácil descartar os pensamentos e as opiniões de outras pessoas, apenas porque suas ideias não batem com as nossas. Por isso, admiro o abade e os monges. Eles deixaram que seus paradigmas fossem questionados, na esperança de descobrirem uma nova verdade. É evidente que a persistência deles foi recompensada.

– É, Teresa – disse a enfermeira –, mas os monges tiveram que fazer seu próprio trabalho. Tiveram que operar uma mudança.

– Sim, é verdade – concordou a diretora. – Alguém disse, certa vez, que precisamos produzir nossas próprias mudanças, assim como temos de enfrentar nossa própria morte.

– Ótimas colocações! – disse o sargento, entrando na conversa. – E cada monge teve que fazer a sua parte. Em certo sentido, cada um teve que se tornar líder por sua própria conta e assumir a responsabilidade pessoal pelo sucesso ou fracasso do seu querido mosteiro. Eles se tornaram um grupo em que todos são líderes, como vimos antes. O abade continuou a ser o líder formal, com certas responsabilidades, mas cada monge teve de reconhecer o seu papel para fazer as coisas funcionarem.

A treinadora assentiu com a cabeça e completou:

– Os monges realmente se comprometeram a consertar a situação. Mas vamos lembrar que eles também tinham contribuído para deixá-la chegar ao ponto que chegou! Ficavam apontando o dedo uns para os outros, se eximindo das suas responsabilidades.

Esse comentário me fez lembrar de algo:

– Minha mulher sempre diz que a regra número um da dinâmica de grupo é que, se a pessoa faz parte de um grupo problemático, ela faz parte do problema. Rachel me disse que as pessoas não gostam muito de ouvir isso, mas que é verdade.

– Uma vez, fui repreendida por isso no trabalho – contou Teresa. – Houve uma época em que tive um chefe de estilo nazista, e eu simplesmente me fechava completamente quando estava perto dele. Ficava sentada durante as reuniões e concordava com tudo, sem questionar nada do que ele dizia. Por fim, uma colega me mostrou que eu fazia parte do problema, e estava contribuindo para a disfunção da nossa equipe. Quase perdi as estribeiras! Como é que ela podia sugerir uma coisa dessas, quando todos viam claramente quem era o problema?

Teresa respirou fundo e continuou:

– A colega me disse que meu silêncio não só deixava de contribuir para uma solução, como também permitia aquele comportamento. Argumentou que o meu silêncio era uma recusa a participar e assumir responsabilidade pelo grupo. E me mostrou que, no momento em que eu havia parado de participar, tinha perdido o direito de fazer críticas. Esses comentários doeram, mas, quando superei a mágoa, percebi que ela tinha razão. Assim, comecei a me manifestar nas reuniões e a questionar o chefe intolerante. E, de fato, as coisas foram mudando para melhor.

Simeão pareceu satisfeito:

– Ótimas colocações! Mais alguém?

– O amor é contagioso – veio a resposta suave da enfermeira. – Fiquei impressionada ao ver como, no princípio, os monges criticavam uns aos outros, até começarem a examinar mais fundo. Quando olhamos além das imperfeições da superfície, é comum acharmos algo de valor. Eles não vinham examinando a situação a fundo.

— Exato, Kim — concordou a treinadora. — Os monges estavam procurando defeitos e problemas e os encontravam. Quando mudaram o foco e começaram a buscar o que havia de bom nos outros, descobriram.

A diretora gostou da colocação de Kim e disse:

— Sim, é isso mesmo! Nos vários distritos e departamentos escolares em que trabalhei, eu me admirava ao ver como a negatividade podia ser contagiosa. Mas o inverso também é verdadeiro. Surpreendermos as pessoas fazendo as coisas bem-feitas, sermos positivos, gentis, nos importarmos e exibirmos comportamentos amorosos, também contagia. Como criaturas que criam hábitos, podemos ser facilmente apanhados na dinâmica do meio em que vivemos, e por isso temos de escolher com cuidado onde passamos o tempo.

O grupo pareceu haver esgotado todos os pontos de vista da história.

— E você, Simeão? — indagou o sargento. — O que você tirou da experiência dos seus antigos irmãos?

— Obrigado por perguntar, Greg. Eu me lembrei desta história quando você mencionou o filme *Campo dos sonhos*. A frase "Se você construir, eles virão" resume bem o que os meus irmãos viveram. Quando iniciaram o trabalho com amor e deram o melhor de si uns aos outros, os visitantes começaram a notar a mudança. Sentiram a aura de extraordinário respeito que cercava os velhos monges. Foram instigados e atraídos por ela. Descobri que, toda vez que isso acontece com uma equipe de alto desempenho, as pessoas dizem: há alguma coisa diferente naquele grupo. Como vocês sabem, dirigi muitas organizações na minha época. E repetia a cada uma delas que, quando construímos grandes líderes e combinamos essa prática com uma cultura de excelência e carinho de uns para com os outros, as pessoas sentem-se atraídas. Elas vêm.

– Nunca vi isso falhar – concluiu.

No intervalo matinal, caminhei até o estacionamento e achei um banco com vista para o lago. Passados alguns minutos, ouvi o ruído de um veículo que se aproximava, vindo da estrada de mão dupla que saía da via expressa principal.

– Quem pode ser? – falei em voz alta, ao ver a nuvem de poeira de uma caminhonete aproximar-se do mosteiro.

O veículo estava numa velocidade imprudente, ao dar uma guinada para a trilha estreita que desembocava no estacionamento. Aproximou-se velozmente de onde eu estava sentado, até parar de repente, fazendo terra, pedras e areia voarem para todos os lados.

Quando a nuvem baixou, vi uma pessoa descer da caminhonete e vir diretamente na minha direção.

Mal pude acreditar no que via.

Era o pastor.

CAPÍTULO 22

Fingimento

O pior crime é fingir.
— Kurt Cobain

Fiquei meio atordoado procurando alguma coisa para dizer ao pastor, mas não foi necessário. Ele passou direto por mim, como se eu não existisse, o que achei ótimo.

Depois do intervalo, era possível sentir um clima pesado na sala, agora que o pregador nos honrava outra vez com sua presença.

É claro que, para minha grande decepção, o generoso Simeão deu-lhe as boas-vindas com sincero entusiasmo:

— Que bom você ter voltado, Lee!

O pastor retrucou com um resmungo ininteligível.

— Você quer falar sobre o que aconteceu? — insistiu o professor.

— Não. Vamos tocar em frente, por favor.

Simeão esperou. Ninguém disse nada, e ele tomou a decisão de seguir adiante.

— Até aqui, atingimos nossas duas primeiras metas: rever os fundamentos do que é a liderança servidora e identificar os passos necessários para a formação de líderes eficazes. Nossa terceira meta do fim de semana é discutir as equipes de trabalho de alto desempenho e como construir a cultura e o sentimento de uma verdadeira comunidade nas organizações.

A diretora pareceu empolgada:
— Eu estava ansiosa por essa parte! Mas vamos diminuir a velocidade e definir nossas palavras aqui. O que, exatamente, você quer dizer com organização, cultura e comunidade?
— Uma organização — respondeu Simeão — é formada por duas ou mais pessoas reunidas para a realização de um objetivo. Esses princípios de liderança, cultura e comunidade aplicam-se a qualquer organização, incluindo empresas, famílias, casais, equipes esportivas, etc. Defino cultura como um conjunto de hábitos, atitudes e mentalidades profundamente arraigados que determinam o modo de nos comportarmos na organização. Em outras palavras, eu definiria a cultura como "nosso modo de fazer as coisas".
— Então, nossa cultura é como uma afirmação da nossa missão? — indagou a enfermeira.
— A cultura vai muito além disso, Kim. Não é o que dizemos, nem o que acreditamos sobre a organização que define a cultura. É a maneira como efetivamente nos comportamos.
— Com certeza — começou o pastor, entrando na discussão. — Aquela fraude empresarial conhecida como Enron exibia orgulhosamente os valores principais da companhia, que eram integridade, comunicação, respeito e excelência, num mármore lindamente entalhado no saguão da sede da firma. Obviamente, o que eles diziam não combinava com sua maneira de se comportar.
— Falou bem, Lee — incentivou-o Simeão. — As pessoas pautam o seu comportamento não pelo que diz um cartaz no saguão, mas pelo modo como efetivamente agem. O que é premiado? O que é punido? Que atos levam o empregado a obter uma promoção? A cultura é muito poderosa em orientar o comportamento e, por conseguinte, o que realmente se passa dentro de uma organização. E é por isso que Peter Drucker,

o grande pensador da administração de empresas, dizia que a cultura vence a estratégia.

– E a definição de comunidade, Simeão? – insistiu a diretora.

– Criar uma verdadeira comunidade entre os membros da organização é parte crucial da cultura. E por "comunidade" eu me refiro a um ambiente em que as pessoas tenham aprendido a aceitar e a transcender suas diferenças, a resolver seus conflitos em vez de evitá-los, a assumir responsabilidade pelo grupo, a se comunicar de forma eficiente e a criar um lugar onde possam ser elas mesmas. Em suma, a criar um ambiente saudável e seguro, onde os indivíduos consigam direcionar sua energia para um trabalho produtivo, em prol das metas identificadas como geradoras do bem comum.

– Parece um paraíso, Simeão – comentei, provavelmente soando cético. – Mas será de fato possível criar um lugar assim na vida real?

– Não só é possível, John, como já dispomos há muito tempo da metodologia para fazer isso! Essa é a boa notícia.

– E a má notícia? – perguntei.

– É preciso decidir realmente mudar, estar disposto a realizar o trabalho. E isso não é nada fácil. A comunidade não acontece por acaso, a não ser ocasionalmente, em resposta a crises, como discutiremos depois. A construção da comunidade e das ligações afetivas entre as pessoas exige um imenso esforço e uma inabalável determinação. Mas o fruto desse esforço é enorme.

– E como se constrói essa terra prometida? – indagou o pastor, bem menos arrogante do que antes.

– Que bom você ter perguntado, Lee! – veio a resposta animada de Simeão. – Para entendermos melhor esse processo, creio que seria conveniente descrever os estágios que os grupos atravessam para chegar à comunidade. Eles são quatro: fingimento, fricção, formação e funcionamento.

A enfermeira interpôs, empolgada:
— É isso mesmo! Fiz há alguns meses um curso sobre trabalho em equipe no hospital, e eles falaram sobre essas etapas usando outros nomes: formação, tormenta, normatização e desempenho! Está certo, Simeão?
— É isso mesmo, Kim, obrigado! Essa é a maneira típica de identificar os estágios, sobretudo nos círculos empresariais. Em outro contexto os quatro estágios são chamados de pseudocomunidade, caos, esvaziamento e comunidade. Outra nomenclatura descreve os estágios como polidez, disputa de poder, construção e espírito de equipe. Esses estágios receberam nomes diferentes, mas a dinâmica de cada etapa foi identificada e é compreendida há mais de meio século.
— Fingimento, fricção, formação e funcionamento — repetiu o sargento. — Vamos lá, Simeão, vou tentar acompanhá-lo nisso. Então, o que vem a ser o primeiro estágio?
— Fingimento ou pseudocomunidade é quando os membros fingem ser um grupo unido, sem diferenças reais de opiniões, ideias ou visões de mundo. No começo, isso pode ser algo inocente, como acontece quando iniciamos um relacionamento. Mas pode se tornar sombrio, quando nos leva a evitar falar de assuntos incômodos ou de coisas sobre as quais discordamos. Pensem no começo de um namoro, nos primeiros dias em um novo emprego, ou naqueles coquetéis onde todos são gentis, cordiais e agradáveis. "Como vai?" "Tudo ótimo, e você?" "Muito bem." "Hoje choveu." "É, está molhado lá fora." E por aí vai. É a dança das gentilezas superficiais.
— Afora a conversa fiada, como a pessoa pode diagnosticar se está nesse estágio? — quis saber a enfermeira.
Simeão estava pronto:
— Há três sintomas fáceis de diagnosticar, Kim. O primeiro é evitar conflitos, o segundo, a conversa sobre generalidades, e o

terceiro, o tédio. Evitar conflitos revela claramente que se está nessa etapa, pois os membros do grupo fazem um enorme esforço para não levantar qualquer assunto incômodo. É como se todos funcionassem de acordo com as regras do bom anfitrião. Não fale de religião nem de política. Não diga nada ofensivo. Se alguém disser alguma coisa que questione ou conteste o status quo mude rapidamente de assunto, finja que nada aconteceu e siga em frente.

– Isso lembra muitos coquetéis a que compareci ao longo dos anos – lamentei.

– Ou reuniões de negócios ou da igreja – acrescentou o pastor, envolvendo-se mais. – Seja gentil e se dê bem com todos.

– Ou ir a lugares como a igreja, e receber beijos e abraços de pessoas que nem sequer conheço – acrescentou a diretora. – Isso me deixa maluca. Tem razão, Simeão. Detesto essa coisa de fingirmos que construímos uma relação, quando não o fizemos.

– Você mencionou o tédio, Simeão – disse a treinadora.

– Sim, outro sintoma desse estágio é o tédio generalizado. Quantas vezes vocês já se viram rabiscando seu caderno de anotações durante uma reunião ou passaram a noite toda em uma festa sem manter nenhuma conversa significativa com alguém?

– E quanto a falar de generalidades, Simeão? – continuou Chris.

– Nesse estágio, é comum as pessoas conversarem usando histórias estereotipadas ou generalidades. E os membros do grupo se calam, mesmo que, por dentro, discordem com veemência.

– Os coquetéis estão cheios desse tipo de comportamento – respondi. – Alguém diz: "Ah, divórcio é uma coisa terrível", e todos concordam polidamente, como se houvesse falado a voz da sabedoria. Mas posso lhe garantir que deve haver alguém pensando: "O meu divórcio foi a melhor coisa que me aconteceu!" Só que essa pessoa não diz isso! Talvez fosse constrangedor ter que explicar sua posição. É mais fácil concordar, simplesmente, ou ficar calado.

– Ou o trabalho – disse a enfermeira. – Nosso diretor costuma começar as reuniões dizendo: "Nós somos uma equipe forte e unida!" E, toda vez que escuto isso, penso: "Nunca participei de uma equipe mais problemática nos meus 25 anos de enfermagem!" Mas você tem razão, eu não digo nada. Apenas dou um sorriso polido e balanço a cabeça. Fico meio chocada ao me dar conta disso.

– Eu vejo isso também em encontros religiosos – acrescentou a diretora. – Todos fingem acreditar nas mesmas coisas, mas no fundo temos pensamentos, ideias e opiniões diferentes. Só que não é seguro expressá-los. Fui a uma reunião da igreja, certa vez, e um homem se levantou e disse: "Basta confiarmos em Jesus e tudo ficará bem." Todos concordaram como se ele houvesse expedido uma bula papal ou fosse o mensageiro direto de Deus!

Ela fez uma pausa e então prosseguiu:

– No entanto, tenho certeza que várias pessoas estavam pensando: "Eu bem que tentei confiar tudo a Jesus, mas não funcionou. Continuo sofrendo do mesmo jeito." Mas, é claro, ninguém disse nada. Porque, se dissesse, era provável que fosse massacrado com versículos da Bíblia e sermões, como se fosse um crime discordar. É melhor e mais seguro ficar calado.

– Maravilha de exemplos! – exclamou Simeão. – Vocês parecem ter captado a essência do estágio de fingimento. A boa notícia é que o tédio leva os membros do grupo a entrar no estágio seguinte.

– O da briga! – empolgou-se o sargento. – O estágio divertido!

Capítulo 23

Fricção

Eu me divorciei do meu marido por razões religiosas. Ele achava que era Deus, e eu, não.
— Ex-mulher

A ENFERMEIRA TINHA UM AR SOMBRIO quando falou:
— Antes de falarmos do segundo estágio do desenvolvimento de grupos, preciso contar uma coisa. Acho que vocês não vão gostar do que tenho a dizer, mas me sinto impelida a falar.
— Como assim impelida a falar? – perguntei.
— Simeão nos ensinou a observar os sinais. Eu me sinto inquieta, com as palmas das mãos transpirando e o coração disparado. E Simeão também ensinou que sempre devemos falar quando nos sentirmos instigados a isso, mesmo se acharmos que o grupo talvez não queira ouvir o que temos a dizer, certo?
O professor sorriu e concordou:
— Isso mesmo, mas sempre com um espírito de gentileza e respeito. Eu me orgulho de você, Kim.
— Obrigada, Simeão. Então, lá vai. Acho que o nosso grupo se encontra no estágio um. Essencialmente, somos uma comunidade superficial de fingimento, e faz algum tempo que estamos fingindo.
— Por que você está dizendo isso? – disse a diretora, com ar ofendido.

– Porque é verdade. Faz três dias que estamos sentados aqui, sem lidar com a dinâmica do que acontece no grupo, nem sequer reconhecê-la. Isso me parece muito falso. Ah, sim, todos nos abraçamos carinhosamente na chegada e nos desmanchamos em gentilezas uns com os outros, em parte porque isso pareceu apropriado. E, é claro, somos agradáveis e cordiais. Mas esse comportamento não me parece verdadeiro.

– Bem, é a sua opinião – revidou Teresa.

A enfermeira não recuou:

– Acabamos de aprender, Teresa, que a diferença entre realidade e opinião são os fatos. Acho que há muitos fatos que confirmam a minha afirmação. Por exemplo, na sexta-feira, o John compartilhou de forma profundamente emocional um pouco do sofrimento dele, e nenhum de nós tomou conhecimento de sua dor. Não quisemos entrar no assunto, mesmo com Simeão nos instigando. E passamos dois dias inteiros sentados aqui, vendo o Lee e o John se atacarem, sem que ninguém dissesse uma palavra. E mesmo quando Simeão tentou nos fazer falar da partida do Lee, nós nos recusamos. É doloroso me dar conta de que sabemos um pouco uns dos outros, mas realmente não nos conhecemos.

– Bem, só você pensa assim – declarou a diretora, irritada.

– Só ela, não – reagiu o sargento, também parecendo ofendido. – Acho que a Kim está absolutamente certa. Pensando bem, o que vem acontecendo aqui é bastante problemático. Inclusive a ponto de o Lee se retirar num rompante e estar sentado aí de novo, e nós não tomarmos conhecimento disso, muito menos tentarmos entender que diabo aconteceu.

– Concordo com a Teresa – interveio a treinadora. – E você, John, concorda conosco?

Eu não estava disposto a me deixar envolver, por isso olhei para o chão.

Os grilos tinham voltado a cantar e, dessa vez, cantaram por um bom tempo. A tensão acentuou-se.

Ouvi um gemido baixo que vinha da direção do pastor e dei uma olhadela. Ele estava com o queixo afundado no peito e lágrimas rolando pelas faces.

Simeão propôs:

— Posso sugerir que deixemos isto em suspenso por alguns minutos? Creio que poderemos entender a dinâmica atual do nosso grupo ao irmos adiante, para os estágios seguintes do desenvolvimento dos grupos. Vocês estão de acordo?

— Eu topo — concordou o pastor, através do véu de lágrimas.

— E quero que todos vocês saibam que sinto muito por ter sido tão idiota este fim de semana. Ando arrasado, ultimamente.

COM A SÚBITA DEMONSTRAÇÃO de vulnerabilidade do pastor, senti dissipar-se imediatamente a raiva que sentia por ele. Foi uma sensação estranha, mas boa. Ótima, na verdade.

Por mais estranho que possa parecer, à medida que as barreiras que me separavam do Lee foram ruindo, comecei a sentir uma ligação mais forte com ele. Afinal, minha vida também andava um desastre, e quem era eu para julgá-lo e descartá-lo como um idiota? Era óbvio que ele estava com problemas.

Igualzinho a mim.

Por que eu não tratava os outros com metade da tolerância com que tratava a mim mesmo?

Minha mulher vivia dizendo que me faltava empatia com as pessoas.

Fingir que não via, era exatamente isso que eu fazia.

SIMEÃO TROUXE MINHA ATENÇÃO de volta para a sala:

— Como já foi mencionado, um dos sintomas do estágio do fingimento é o tédio. Isso me parece bom, porque o tédio pode criar o atrito necessário para impelir o grupo a entrar no estágio seguinte.

— A desconcertante tormenta — disse a enfermeira. — Na minha aula de trabalho em equipe, fiquei intrigada com esse estágio, embora deteste conflitos, brigas e tensões. Mas enfim aprendi que é nessa fase que o fingimento começa a cair por terra e que as diferenças individuais no grupo podem finalmente emergir.

— Como quando acaba a lua de mel — sugeriu o pastor, porém sua voz já não me irritou. — De repente, eu me vejo tendo desentendimentos com a mulher que amo tanto, e fico assustado. Afinal, o que houve de errado? Achávamos que íamos ser felizes para sempre, e no entanto descobrimos de repente que temos diferenças! Que horror!

A treinadora gostou:

— É verdade, Lee! Na minha carreira tive diversos empregos em que todos eram delicados e cordiais nos primeiros dias, mas pouco tempo depois eu parecia invisível. A bajulação ou o fingimento não duravam muito.

Kim tornou a manifestar curiosidade:

— Simeão, além das diferenças e discordâncias que surgem no estágio de atrito ou fricção, que outros sintomas podem ajudar a diagnosticar essa fase?

— Nesse estágio, as máscaras são retiradas e nossas diferenças ficam à mostra. Porém a discordância ou a briga não são necessariamente sintomas dessa etapa. É comum haver discordâncias e tensão nos grupos saudáveis que funcionam como uma verdadeira comunidade. A diferença principal é que a briga é improdutiva, caótica e não leva a nada. Pouca coisa se resolve enquanto os membros se estapeiam, fazendo pouco esforço para compreender o ponto de vista do outro. Nessa etapa, as pessoas só querem impor sua vontade.

– Parece o meu primeiro casamento – comentou a diretora.
– Bastaram alguns meses para o tirano vir à tona, e era fazer a vontade dele ou ir embora. E ainda tive que suportar dois chefes iguaizinhos a ele.

Simeão esclareceu:
– Nesse estágio de fricção ou tormenta, é comum os membros se tornarem gênios, mestres em administração de empresas, psicólogos, enquanto martelam suas opiniões, visões de mundo e dogmas. E de fato acreditam que estão ajudando os outros a compreender! Na realidade, porém, o comportamento no segundo estágio costuma ser egocêntrico e egoísta.
– Como assim, Simeão? – indagou o sargento, que não parecia convencido.
– Se as suas ideias ou opiniões são diferentes das minhas, isso questiona minha maneira de pensar, e é incômodo ver meus pontos de vista mais arraigados serem questionados. Afinal, dei muito duro pelas coisas em que acredito. Ao vê-las contestadas, reajo violentamente e deixo de investir o tempo ou o esforço necessários para refletir e repensar minhas posições. Por outro lado, se eu conseguir convencê-lo a pensar como eu, passo a ser o herói, por tê-lo corrigido, além de me tornar a pessoa mais brilhante da sala. Não é incrível? Isso é muito mais fácil e agradável do que fazer o esforço para compreendê-lo e saber o que você quer dizer.

A treinadora ficou intrigada:
– Uma das coisas que percebo é que esses dois estágios se alicerçam em mentiras. Inconscientes, talvez, mas mentiras, assim mesmo.

A enfermeira pareceu perplexa:
– Mentiras? Como assim?
– No estágio do fingimento, as pessoas dizem a si mesmas que precisam ser agradáveis a qualquer preço e evitar discutir

suas diferenças. Na verdade, elas acham que as diferenças pessoais prejudicam a construção de laços e a coesão do grupo. Mas isso é mentira. Muitas vezes, nossa força reside na diversidade. Quando aprendemos a aceitar uns aos outros, isso se torna a base para estabelecermos laços mais fortes e construirmos ligações afetivas que promovem a confiança e a união.

A enfermeira quis ouvir mais:
— E as mentiras do estágio de fricção?
— Nesse estágio, as nossas diferenças ficam expostas e então sentimos necessidade de destruir, consertar, mudar, converter, ou fazer o que for necessário para chegarmos a um acordo. Como disse Simeão, os membros até se convencem de que consertar os outros é do interesse do grupo. Nada poderia estar mais longe da verdade. Aliás, minha experiência é que a divergência abafada sempre encontra por onde escapar.

A treinadora acompanhava empolgada:
— Outra mentira é que dizemos uns aos outros que o grupo está adoecendo, regredindo, degenerando e até morrendo, talvez. "Nunca brigávamos assim antes de casar", ou "Sempre tivemos reuniões agradáveis de negócios, até o Ed entrar na equipe", ou "Sempre tivemos ótimos estudos bíblicos, até a Sara aparecer com essas suas ideias e teologias moderninhas". Mas isso é outra mentira. A verdade é que o grupo está realmente começando a ficar mais saudável. Não é essa a impressão que temos, mas é comum nossos sentimentos não serem bons termômetros da verdade.

— Tem razão, Chris — acrescentei. — A rigor, o caos é preferível ao fingimento, porque no primeiro estágio fingimos não ter diferenças, quando de fato as temos. Essa é a maior mentira de todas.

— Vocês estão certos! — animou-se o professor. — Pelo menos, no estágio de fricção, as diferenças se expõem e as máscaras são retiradas. Ainda não aprendemos a resolver nossas diferenças, mas ao menos elas são colocadas na mesa, e temos a oportunidade de avançar na construção de uma comunidade.

– Porém, para escapar do incômodo do caos – prosseguiu –, é comum, nesse estágio, os membros atacarem o líder, por ele não se posicionar na briga nem impor a ordem. "Não estaríamos brigando assim, se tivéssemos uma boa liderança", eles acusam. Ou então surgem ditadores violentos que simplesmente ordenam que o grupo saia do caos: "Quem manda aqui sou eu e é assim que vai ser. Se não estiver satisfeito, pode ir embora!", "O pastor aqui sou eu e, de agora em diante, eu decido no que vamos acreditar", "Sou o chefe da família, e aqui se faz o que eu quero".

– Suponho que essa seja uma forma de resolver o atrito e o caos – sugeriu a treinadora.

– Imagino que sim, Chris – suspirou Simeão. – Mas o grupo jamais se tornará uma equipe de alto desempenho, porque o totalitarismo e a comunidade são incompatíveis. Acabar com os conflitos por meio de ordens é, com certeza, um modo de eliminar o desconforto da fricção e do caos. Mas o lado negativo é que não solucionamos nada. Não aprendemos a escutar. Não aprendemos a ter empatia. Não aprendemos a negociar. Não crescemos como indivíduos nem como equipe. Somos apenas silenciados. Por algum tempo. Infelizmente, muitos grupos passam a vida quicando de um lado para outro entre o fingimento e a fricção.

– Por sorte – concluiu – há um modo de seguir em frente.

CAPÍTULO 24

Formação

Se cada um varrer a calçada de casa,
logo teremos uma rua limpa.

— Provérbio judaico

FIZEMOS UMA PAUSA PARA O ALMOÇO e caminhamos em grupo até o refeitório. Pela primeira vez, ficamos todos juntos fora da sala de aula.

Depois do almoço, passamos mais de uma hora sentados na biblioteca principal, revezando-nos para reabastecer a lareira.

E conversamos. Conversamos muito.

Havia uma mudança acontecendo.

A conversa deixou de ser superficial e frívola. Ao contrário do primeiro dia, as pessoas falaram de questões pessoais importantes e foram ouvidas com um grau de atenção e empatia fora do comum. Ficamos especialmente tocados ao ouvir o relato de Lee sobre os problemas que vinha enfrentando em seu casamento e em sua congregação.

Começamos a nos relacionar num nível mais profundo, dispondo-nos a compreender os pontos de vista diferentes, e propondo menos soluções fáceis. As perguntas foram mais relevantes. As respostas, mais reveladoras.

Em suma, o grupo começou a se tornar real.

Autêntico: foi essa a palavra que Simeão usou para descrevê-lo.

Voltamos a nos reunir na sala de aula às duas horas. O professor fez a abertura da nossa última tarde:

— Como eu disse antes do almoço, a vasta maioria das instituições, inclusive os casamentos, nunca ultrapassa os dois primeiros estágios do desenvolvimento de grupos. Muitas nunca vão além da etapa de fingimento, enquanto outras passam ano após ano indo do fingimento à fricção, até aparecer o ditador ou haver uma trégua temporária que suspenda as hostilidades e obrigue a um recuo, até o *round* seguinte. Indo para a frente e para trás, como num infindável cabo de guerra, sem jamais reconhecer que poderia haver algo melhor, um nível superior de funcionamento.

Chris identificou-se com a ideia:

— Meu primeiro emprego como treinadora foi numa escola particular, onde trabalhei sob a chefia de um perfeito maluco, fissurado em comandar e controlar. Havia períodos de relativa paz, e então vinha o caos profundo, quando alguém ou alguma coisa o questionava. Aí a equipe inteira andava pisando em ovos, mantendo a cabeça baixa, até o rompante seguinte. E assim sucessivamente. Nem acredito que passei tantos anos lá.

— O meu casamento foi assim, durante quinze anos — lamentou-se Teresa. — Meu marido vivia explodindo e me dando ultimatos. Aí eu o submetia ao tratamento do silêncio, e ele me dava joias, para comprar minha submissão até a explosão seguinte. Um círculo interminável, até que saí fora.

— Simeão — perguntou Kim —, na minha aula sobre trabalho em equipe, aprendi que o terceiro estágio é chamado de construção. Você o chama de estágio de formação. Por quê?

— Porque é nele que começa o trabalho de transformação do grupo numa equipe saudável que funciona em nível superior. É nele que as pessoas realmente se empenham para serem bons membros da equipe. Param de tentar consertar e modificar umas às outras e a olhar para dentro de si, em busca do que elas mesmas podem levar para o grupo. Começam a acolher a ideia de que, quando fazem parte de uma equipe problemática, elas são parte do problema. Infelizmente, a maioria nunca chega a esse ponto. Alguém se arrisca a dizer por quê?

– Porque é difícil – as palavras saíram da minha boca. – É preciso esforço e humildade para olhar para dentro. É muito mais fácil apontar para o outro lado da mesa de jantar, ou de reunião, e dizer aos demais que o problema são eles. Acredite, passei anos fazendo isso.

– Exatamente, John. O necessário, ao se avançar para a verdadeira comunidade, é que as pessoas comecem a identificar suas barreiras pessoais e trabalhem para superá-las, ou deixá-las de lado, pelo bem da equipe. Estou me referindo aos defeitos que todos temos e que prejudicam a construção de relacionamentos. Há dezenas de barreiras e as mais comuns incluem coisas como arrogância, presunção, incapacidade de ouvir, excesso de controle e dominação, preconceitos, falta de sinceridade, maledicência.

– Interessante – refletiu a diretora, esfregando o queixo. – Pode nos dar outros exemplos?

Simeão sorriu.

– Tenho aqui uma lista com as barreiras mais comuns que será muito útil a vocês.

Barreiras à construção de relacionamentos/comunidade

1. Dificuldade de ser autêntico com os outros.
2. Uso de "máscaras"– convicção de que "está tudo bem".
3. Necessidade de ter todas as respostas.
4. Postura dominadora nas discussões.
5. Excesso de controle/microgerenciamento.
6. Interrupção da fala alheia.

7. Baixa capacidade de ouvir.
8. Adoção de ideias e expectativas preconcebidas.
9. Preconceitos – visão estereotipada das outras pessoas.
10. Inacessibilidade.
11. Incapacidade de lidar com críticas.
12. Descontrole emocional, oscilações de humor.
13. Imprevisibilidade, inconsistência.
14. Falta de paciência e autocontrole.
15. Constrangimento de outras pessoas em público.
16. Maledicência (falar mal de terceiros pelas costas).
17. "Formação de panelinhas" (alianças destrutivas).
18. Desonestidade, falsidade, não ser confiável.
19. Falta de abertura e franqueza com os outros – segundas intenções, meias verdades, etc.
20. Descompromisso – não assumir responsabilidades.
21. Falta de respeito com os outros – não reconhecer os direitos alheios.
22. Falta de valorização dos outros – não dar às pessoas a devida importância.
23. Falta de incentivo aos outros.
24. Não reconhecimento do mérito alheio.
25. Não verbalização de opiniões contrárias.
26. Necessidade de ser querido por todos – busca contínua da aprovação alheia.
27. Evitação de conflitos/confrontos.
28. Autoexclusão (emocional/física) do grupo.
29. Desrespeito à confidencialidade do grupo/dos outros.
30. Incapacidade de perdoar – postura ressentida/rancorosa.

Cada um de nós pegou uma cópia e examinou o texto. Foi doloroso ver tantos comportamentos que eu praticava rotineiramente.

– Como podemos saber com certeza quais são nossas barreiras? – perguntou a enfermeira.

– É aí que entra o feedback, Kim. A informação sincera sobre as reações dos outros é crucial. Ontem dei para vocês meu instrumento favorito de feedback, a Lista de Habilidades de Liderança. Muitas das perguntas giram em torno dessas barreiras pessoais. A conscientização é o primeiro passo para crescer e criar a fricção necessária para caminhar em direção à mudança. Acho que o Greg nos deu um exemplo notável disso, ao contar o que aconteceu depois do nosso primeiro retiro. Ele obteve o feedback sobre seu jeito de ser e se comprometeu a modificá-lo, criando um instrumento para acompanhar seu progresso. Em resumo, a mágica começa a acontecer quando cada membro se dispõe a sacrificar suas barreiras e interesses pessoais em benefício do grupo.

Com sua voz baixa e suave, a enfermeira arriscou-se:

– Pensando nisso, parece que algumas barreiras pessoais têm atrapalhado o nosso grupo.

– Por favor, fale na primeira pessoa, Kim. Este é um princípio importante da construção da comunidade.

– Tem razão, Simeão. Sei com certeza que contribuí para isso, ao não me manifestar para evitar conflito, mesmo quando discordava do que estava acontecendo. Isto é uma coisa que tenho feito durante toda a vida. Eu sou a filha do meio e o meu papel na família sempre foi buscar a conciliação a qualquer preço. Mas esse comportamento gerou muitos problemas nos meus relacionamentos, ao longo dos anos, inclusive na minha relação com este grupo.

– Não pense que você tem o monopólio das barreiras, Kim – disse o sargento. – Eu também não disse nada, mas por razões diferentes. Para dizer a verdade, estava gostando dos conflitos! Que tal isso? Deve ser por essa razão que eu me tornei sargento:

adoro uma briga. Só que o meu modo de agir não era sadio e estou tentando mudar. Como você vê, tenho um longo caminho pela frente.
– É provável que eu tenha as maiores barreiras de todas – confessei, de repente. – Já me disseram que eu não tenho a menor tolerância com as mínimas coisas. O que acontece é que eu descarto as pessoas até por ofensas banais. Sou muito crítico, e quando descarto uma pessoa, ela acaba para mim. Pela primeira vez, estou percebendo o que a minha mulher tenta me dizer há anos. E é muito feio.
– Não seja severo demais com você, John – disse Lee. – Aqui estou eu, um pastor, com a vida desmoronando. Nunca dividi isto com ninguém, por causa das minhas barreiras, sobretudo o medo da vulnerabilidade e da transparência. Acho que eu morro de medo do que as pessoas pensariam de mim se realmente me conhecessem. No fundo, eu sei que, sem vulnerabilidade e transparência, nunca terei uma comunhão verdadeira com os outros. Sei disso na teoria, mas não consigo pôr em prática.
A seguir, falou a treinadora:
– Sabem o que aconteceu no intervalo da primeira manhã? John e eu ficamos falando mal do comportamento do Lee, e também criticamos Simeão por não liderar melhor o grupo. Kim, você fez bem em sair da nossa mesa.
– Obrigada, Chris – respondeu Kim –, mas você notou que deixei vocês sem dizer uma palavra? Ser sincera teria sido explicar por que eu estava saindo, e pedir que resolvessem seus problemas diretamente com os dois. Mas a minha barreira de evitar conflitos atrapalhou.
– Simeão – perguntou a diretora –, na sua lista você menciona maledicência e "formação de panelinhas". Pode defini-las para nós, por favor?

– Teresa, essas devem ser as barreiras mais comuns no mundo empresarial hoje em dia. Maledicência é simplesmente falar mal das pessoas pelas costas.

– Acho que essa todos nós compreendemos – disse Teresa.

– A formação de panelinha é uma aliança destrutiva entre duas ou mais pessoas. Trata-se daquela dupla que sempre sai junta para almoçar ou ir ao bar e falar do grupo de forma traiçoeira. É claro que existem afinidades dentro de qualquer grupo, e não há nada de errado em conviver com os colegas com quem você se dá melhor, Mas é diferente quando as pessoas se separam do grupo e se referem a ele de maneira negativa. Isso é devastador. Aliás, na tradição beneditina, essas duas práticas são ofensas capitais que podem levar à expulsão da Ordem. Aprendemos, com séculos de experiência, como esse comportamento é destrutivo para a comunidade.

– Pois então, muito bem! Acho que a Chris e eu temos de nos confessar culpados desse crime – admiti em voz alta para o grupo. – Por favor, não nos expulsem.

E assim prosseguimos, durante os noventa minutos seguintes.

Uma vez abertas as comportas, as máscaras caíram e as pessoas se mostraram ansiosas por compartilhar aquilo a que Simeão se referira como nossas barreiras pessoais. Além disso, quase todos falaram de seus problemas mais íntimos, como maus-tratos infantis, aborto, alcoolismo, vício em drogas e casamentos fracassados, para citar apenas alguns. Fiquei estarrecido com as experiências pelas quais eles haviam passado.

Juro que foi exatamente assim que aconteceu. Se eu não tivesse visto aquilo, nunca teria acreditado.

Durante a conversa, várias pessoas choraram, o que sempre me deixara constrangido no passado, mas não me incomodou nem um pouco nessa hora, talvez por ter havido, junto com as lágrimas, momentos divertidíssimos, de gargalhadas descontroladas. Fazia anos que eu não ria tanto. Uma pessoa de fora talvez nos tomasse por um grupo de apoio de pacientes bipolares.

No final da troca de confidências, veio a hora dos abraços, mas desta vez eles foram diferentes. Não sei ao certo como descrevê-los, exceto dizendo que não foram forçados e pareceram absolutamente autênticos e espontâneos.

Por meio dessa experiência, conscientizei-me de uma coisa que nunca teria imaginado: por trás da máscara de compostura há mágoas e danos profundos. Em todos nós.

Eu não estava sozinho.

CAPÍTULO 25

Funcionamento

Criar um time de sucesso exige que os indivíduos envolvidos abram mão do interesse pessoal em prol do bem comum, para que o todo seja mais do que a soma das partes.
– PHIL JACKSON, treinador de basquete da NBA

DEPOIS DE UM PEQUENO INTERVALO, em que todos aproveitaram para se recompor, Simeão nos trouxe de volta ao assunto:
– Antes de entrarmos no quarto e último estágio, quero abrir uma exceção em tudo o que temos dito. Para reagir às crises, os grupos muitas vezes saltam todas as etapas e se unem numa equipe de alto nível de funcionamento. Algum de vocês seria capaz de pensar em exemplos desse tipo de comportamento?

Fui o primeiro a falar:
– No início da minha carreira, eu trabalhava na contabilidade de uma pequena fábrica de alumínio com cinquenta empregados. Houve um período em que a companhia começou a declinar, e a falência parecia iminente. Então aconteceu uma coisa incrível. O presidente nos reuniu e fez um discurso inspirador sobre a necessidade de cada um assumir sua área de responsabilidade e de unirmos forças, se quiséssemos sobreviver. Sabem o que aconteceu? Fizemos isso. De repente, não importava mais qual era o cargo ou salário de cada um. Todos se uniram porque a sobrevivência estava em jogo. E, em menos de um ano, a companhia passou da quase insolvência para a condição de empresa viável.
– Por que você saiu dessa firma? – perguntou a enfermeira.

– Infelizmente, Kim, quando retomamos a lucratividade e a pressão desapareceu, as coisas voltaram a ser como antes, as pessoas novamente se isolaram em suas salas, e o favoritismo e a politicagem retornaram com força total. Foi tão frustrante que, pouco depois, saí de lá.

Kim também deu exemplos:

– Logo depois dos atentados do 11 de Setembro, o país se uniu. Até nossos políticos de Washington reuniram-se para cantar *Deus salve a América* nos degraus do Capitólio. E, durante algum tempo, as pessoas foram genuinamente mais gentis e educadas. Houve até uma pesquisa que mostrou uma redução significativa na violência no trânsito. Foi bom, mas passou depressa. Também me lembro do terremoto de São Francisco e do furacão Katrina. Gente de toda parte se uniu para ajudar. Não importava quem era rico ou pobre, preto ou branco, morador dos subúrbios miseráveis ou dos bairros de classe alta, todos trabalharam juntos para servir uns aos outros. O mesmo aconteceu depois do terremoto que arrasou Porto Príncipe, a capital do Haiti, ou do tsunami catastrófico no oceano Índico. O esforço maciço de ajuda humanitária e de cooperação do mundo inteiro foi inspirador. Infelizmente, esses tempos de camaradagem e comunhão foram breves.

Simeão suspirou e concordou:

– Breves mesmo, Kim, tem razão. E obrigado por seus exemplos maravilhosos. Embora a comunidade possa unir-se rapidamente em resposta a crises, em geral ela desmorona com a mesma rapidez quando passa a emergência. As pessoas voltam para seus escritórios e suas casas e vem o chamado retorno à normalidade. As barreiras se reinstalam num instante.

– Mas, claro – comentou a diretora –, a maior parte da vida não é feita de crises como essas. Então, o desafio passa a ser como construir e manter a comunidade na ausência de crises.

O professor pareceu satisfeito:
— Exatamente, Teresa. E isso nos leva ao último estágio do desenvolvimento dos grupos. Depois que os membros se conscientizam de suas barreiras pessoais e começam a trabalhar no sentido de superá-las, o grupo passa, como se poderia prever, para o último estágio, que é o funcionamento saudável.
— Quais são os sintomas ou a dinâmica dessa etapa, Simeão? — perguntou a enfermeira.
— Decididamente, não é fácil, mas, depois que todos aprendem a abrir mão de suas barreiras pessoais, de suas intenções veladas, de seus motivos egoístas e de suas ambições, o grupo passa a funcionar num nível mais alto e começa a produzir sinergia — afirmou Simeão, com naturalidade.

Lee apressou-se a dar sua contribuição:
— Ou seja, um mais um é mais que dois. É quando criamos e produzimos muito mais juntos do que jamais conseguiríamos produzir como indivíduos isolados. — Levantando a mão esquerda, ele deu um exemplo: — É como os dedos da mão. Individualmente, não são capazes de grandes coisas, mas juntos formam um punho muito poderoso.

— Excelente, Lee — elogiou Simeão. — Quando se funciona nesse nível, o respeito, a honestidade e a franqueza se fortalecem, e as normas da casa e a confiança começam a se aprofundar. Os membros do grupo não descartam facilmente as sugestões uns dos outros. Quando alguém fala, os demais param para refletir de verdade sobre o que foi dito e trabalham para construir algo a partir daí. Um dos maiores sinais de que há uma comunidade é que os integrantes dizem sentir-se seguros no grupo. Ficam livres para ser eles mesmos, sem temer o ridículo, a condenação ou os julgamentos. "Aqui eu posso ser eu mesmo": esta é a expressão mais comum que ouço das pessoas que trabalham juntas nesse nível.

Parou um instante, e acrescentou:
– Mas não vamos idealizar. Não quero dizer com isso que não haja conflitos nem altos e baixos. É normal que existam, porque afinal somos seres humanos com nossas falhas e idiossincrasias. Mas é um tipo diferente de conflito. Há mais animação no ambiente, uma confiança de que a crise será superada e que se encontrará uma boa solução, porque todos desejam isso. Aprenderam a se unir no trabalho e gostaram da experiência. Aprenderam a discutir com mais delicadeza, sem querer impor sua verdade, mas ouvindo o outro para descobrir pontos de vista diferentes. É como uma arena em que os competidores aprenderam a depor as armas e as barreiras, e começaram a praticar novas condutas, como a escuta, a sinceridade, a confiança e a liderança servidora. Em pouco tempo, os frutos começam a brotar, e passam a se formar ligações afetivas e laços profundos de confiança. Nunca se esqueçam disso, a vida é feita essencialmente de relações, e a confiança é a cola que as une. Algum de vocês já experimentou esse sentimento de comunidade num grupo? – perguntou, concluindo.

Chris apressou-se a responder:
– Nos meus anos de treinadora, vivenciei isso em dois times diferentes. Nunca me esquecerei da sensação de estar profundamente ligada às pessoas dos times. Vivíamos quase tudo juntos, da maneira mais intensa. Muitos de nós mantemos contato até hoje.

– Também vivi isso em duas missões no exterior, com unidades distintas – disse o sargento. – Ficamos tão unidos que parecíamos irmãos, literalmente. Faríamos qualquer coisa uns pelos outros. E estou falando de qualquer coisa mesmo, inclusive de morrer uns pelos outros.

– Eu tenho uma dúvida, Simeão – interpôs Teresa. – Como são tomadas as decisões na comunidade?

— Quando eu estava no mundo empresarial, especialmente no fim da minha carreira, tomei algumas decisões importantes por consenso.

— Não sei se concordo com isso, Simeão — objetou polidamente o sargento.

— Acho que o consenso é um pretexto para abdicar da responsabilidade da liderança. Mas talvez eu esteja errado. Admirei o modo como o Greg foi capaz de discordar, combinando o respeito com humildade e abrindo-se para aprender. Totalmente diferente do sargento que eu havia conhecido dois anos antes.

— Para ser sincero, Greg — respondeu o professor —, houve uma época em que eu teria concordado com você. Mas, depois de vivenciar níveis superiores de comunidade com algumas das minhas equipes, cheguei a um ponto em que não queria tomar decisões importantes sem a colaboração delas. Depois que passei a conhecer melhor essas pessoas, criei um profundo respeito por elas e por seu julgamento. Comecei realmente a acreditar que o nosso saber coletivo era superior a qualquer resultado a que eu pudesse chegar, agindo sozinho. Talvez seja por isso que, no nosso país, não condenamos alguém por homicídio sem o consenso dos jurados. Demora mais e às vezes é complicado, porém as decisões são muito melhores quando o processo é feito de forma adequada.

O sargento não pareceu convencido:

— Quais eram as regras fundamentais que você seguia?

— Bem, em primeiro lugar, só tomávamos decisões importantes por consenso. E não havia votação. Todos concordávamos e nos comprometíamos a nos empenhar ao máximo para procurar tomar a melhor decisão possível. Nossa regra fundamental era: fosse qual fosse a decisão tomada, todos se comprometiam a lhe dar pleno apoio, mesmo que não concordassem inteiramente com ela. Cada pessoa tinha a oportunidade de ouvir e ser ouvida, o que permitia a todos compreender plenamente os problemas, os detalhes e as consequências da decisão. Mas, depois que chegávamos a um acordo, todos o apoiavam e davam o máximo de si para que a decisão tomada fosse bem-sucedida.

— E se a decisão fosse um desastre? — insistiu o sargento.

— É claro que isso às vezes acontecia! Nesse caso, voltávamos a nos reunir para avaliar as razões do fracasso e elaborar uma nova solução com base na nossa experiência e em novos dados.

Greg continuou a insistir:

— Mas e se o grupo não chegasse a um consenso? E se uma única pessoa da sua equipe não conseguisse concordar? O que acontecia então?

— Eu bancava a decisão.

— Seu tirano! — brinquei.

O professor soltou uma sonora gargalhada.

— Por que você fazia isso, Simeão? — quis saber a enfermeira.

— Por duas razões, Kim. Primeiro, porque o mundo continuava a girar e era preciso entrar em ação. E segundo, era eu que corria o maior risco. Como presidente, se as coisas dessem errado, os acionistas iam querer a minha cabeça.

O sargento começou a concordar:

— Gostei disso. Quando não é possível chegar ao consenso, a pessoa de posição mais alta no grupo toma a decisão final, correto?

— Sim. Mas lembre-se, só os grupos que evoluíram pelos vários estágios e trabalharam juntos para lidar com suas barreiras têm maturidade suficiente para resolver problemas por consenso. Infelizmente, isso exclui a maioria dos grupos.

— Que coisa — comentou a enfermeira, baixinho. — A liderança servidora e a construção da comunidade são, claramente, enormes vantagens competitivas para qualquer organização. E não parecem custar tão caro assim. Por que tão poucas organizações seguem esses princípios?

Resolvi responder:

— A ignorância talvez seja uma razão, porque essas verdades têm que ser acolhidas e absorvidas pelas pessoas. Mas acho que, no fim, a razão principal está na acomodação e na preguiça. A construção de líderes e da cultura exige um grande compromisso e um esforço enorme. Bancar o ditador e gritar ordens é bem mais fácil. Lamento dizer que muita gente, inclusive eu mesmo, opta pelo caminho da preguiça.

Capítulo 26

O mapa

*Se você não sabe explicar com simplicidade,
é porque não compreendeu bem.*
— Albert Einstein

A treinadora parecia preocupada:
— Falamos de muitas coisas este fim de semana, e estou me sentindo meio sobrecarregada. Será que você pode nos dar uma versão condensada, ou um mapa simples para quando voltarmos à vida real? Não sei muito bem por onde começar.
— Excelente, Chris! – disse Simeão, entregando a cada um de nós uma última lista. – Há muitos anos, uma de minhas equipes criou uma lista de diretrizes para grupos, que desde então tenho usado com sucesso. Essas diretrizes fornecem dicas sobre a construção de comunidades, incluindo assumir responsabilidade pelo sucesso do grupo, eliminar barreiras, formar um grupo só de líderes, o discurso na primeira pessoa, a prática da sinceridade e da escuta e a resistência à tentação de consertar ou modificar os outros.

Compromisso

a) Ser um grupo de líderes – assumir a responsabilidade pelo sucesso (tarefas) e segurança (estabilidade/confidencialidade) do grupo.

b) Estar bem preparado – introduzir a excelência no grupo.
c) Estar plenamente presente (em termos físicos/afetivos) – participar plenamente.
d) Responder por manter o grupo afiado e focado na tarefa.

Comportamento

a) Tomar consciência das próprias barreiras pessoais e aprender a deixá-las de lado.
b) Externar as insatisfações para o grupo – nada de "panelinhas", ideias abafadas nem abandonos. As preocupações devem ser elaboradas com o grupo.

Comunicação – fala

a) Falar apenas ao se sentir *impelido* a fazê-lo (em dúvida, esperar para falar).
b) Falar de maneira *assertiva* – aberta, franca, direta – jamais violar os direitos alheios.
c) Falar na primeira pessoa, em declarações com a palavra "eu" ("Eu acho, eu creio, eu preciso", etc.).
d) Falar de maneira pessoal e profunda, num modelo de transparência e humildade.

Comunicação – escuta

a) Escutar atentamente – empenhar-se em "ver as coisas como eles veem e sentir o que eles sentem".
b) Evitar conversas paralelas – a fala deve ser enunciada por uma pessoa de cada vez.
c) Não interromper – pôr as ideias "entre parênteses" para compartilhá-las depois.

d) Resistir à tentação de consertar/curar/modificar/converter os outros.

e) Resistir à ânsia de "preencher o vazio" com a própria fala – o silêncio vale ouro!

– Vamos começar por um princípio – continuou Simeão.
– As organizações realmente excelentes sempre possuem duas coisas: uma grande liderança e uma grande cultura. As duas são cruciais. Conheci líderes que são bons na parte da liderança, mas nem tanto na construção de equipes fortes. Por outro lado, alguns são excelentes para construir a cultura e a comunidade, mas não são muito eficazes como líderes. Pensem na liderança e na cultura da organização como as asas de um pássaro. Quando as duas funcionam em conjunto, o pássaro vai muito mais longe, muito mais depressa. Minha experiência é que os melhores líderes internalizam esse princípio e, de maneira contínua e incansável, constroem líderes e excelência em sua cultura, através da simples persistência e de uma determinação obstinada. O compromisso é fundamental.

Simeão tomou fôlego e tornou a falar:
– William Deming, o falecido guru do mundo empresarial, era enfático ao afirmar que o primeiro passo numa organização é fornecer a educação para a liderança.

– Tudo se constrói e desmorona conforme a liderança – acrescentou o sargento.

– Ela é absolutamente fundamental, Greg. É uma habilidade que, como qualquer outra, precisa continuamente de treinamento, reeducação, redirecionamento, recalibragem e relembrança. É impossível exagerar na educação e no treinamento para a liderança. Ao longo dos anos, eu costumava levar minhas equipes à loucura com leituras em grupo, palestras, estudos de casos, vídeos, DVDs ou qualquer recurso disponível. E agora, com a internet, encontrar um rico material sobre o assunto está mais fácil do que nunca. No entanto, como diz Stephen Covey, em *Os 7 hábitos das pessoas altamente eficazes*, devemos "começar tendo o fim em mente". Ou seja, precisamos antes estabelecer o padrão de liderança que desejamos atingir, pois disso depende o sucesso de todo o processo de treinamento.

— Mas é óbvio que o treinamento não basta — interpus —, como se evidencia pelo pouco que a maioria de nós se modificou depois do retiro de dois anos atrás.

— Tem razão, John. A educação é apenas o primeiro passo. Para desenvolver uma habilidade, precisamos de muito mais do que apenas informações. O segundo passo é oferecer feedback às pessoas e identificar as defasagens entre o padrão elevado da liderança servidora e o ponto em que os líderes se encontram num dado momento. É para isso que vocês devem usar a Lista de Habilidades de Liderança com suas equipes.

— É bem difícil consertar alguma coisa quando nem temos consciência dela — observou a diretora.

— Tem razão, Teresa — concordou Simeão. — E o terceiro passo crucial é criar atrito. Ou uma tensão saudável, se vocês preferirem, provocando as pessoas para que elas se mexam! Uma chamada à responsabilidade leva os indivíduos a se mexerem. Pode não ser isso que eles querem, mas com certeza é do que precisam. E os líderes servidores sempre devem fazer aquilo que seus liderados precisam.

— Quando levamos as pessoas a falarem de maneira aberta e franca sobre seus problemas, e acompanhamos seu progresso, criamos a tensão necessária para fazê-las se mexerem. E se isso não bastar para que elas cresçam, eu as afastaria da organização.

— E as passaria para a concorrência! — exclamou a enfermeira, pegando realmente o jeito da coisa.

– Isso mesmo, Kim – concordou o professor, rindo. – Tomei há muitos anos a decisão de que, se a pessoa pretendia ser líder na minha organização, o crescimento e o aperfeiçoamento contínuos não eram uma opção, mas uma condição do emprego.

– O segredo – continuou – é fazê-las praticar novos comportamentos, até que estes se tornem hábitos. É fazer o comportamento passar de inconsciente e inábil para consciente e habilidoso. Lembram-se dos estágios de desenvolvimento dos hábitos, discutidos no nosso último retiro?

A enfermeira nos conduziu:

– Sim. Pois então, temos fundamentos, feedback e fricção. E quanto à parte da cultura?

– Hoje de manhã, passamos muito tempo falando como a cultura é crucial para a excelência das organizações. O primeiro passo para criar uma cultura saudável é lançar as bases adequadas, assim como acontece com a liderança. E essa fundamentação sólida começa pelo comportamento. O líder deve indicar o padrão, as chamadas "regras da casa": como devo me comportar e o que acontece se eu não fizer isso. E essas normas não precisam ser complicadas. Na verdade, constatei que apenas três foram necessárias para as equipes com que trabalhei.

Isso me deixou curioso:

– Só três? E quais eram, Simeão?

O professor virou-se para o quadro e escreveu:

Compromisso com a cultura

- Fazer o que é certo
- Fazer o melhor possível
- Seguir a regra de ouro

– Faça o que é certo, faça o melhor que puder e siga a regra de ouro. Praticamente tudo o que acontece numa organização se enquadra nessas três diretrizes. Concordam?

O grupo refletiu por um minuto.

Fui o primeiro a me manifestar:

– Pensando em todas as coisas possíveis que acontecem diariamente no meu mundo, tenho de concordar, Simeão. Quer se trate do trabalho com subordinados, colegas, clientes internos ou externos, e até com familiares, há três perguntas que parecem abranger tudo: "Você fez o que era certo? Fez o melhor que era capaz de fazer? Tratou os outros como gostaria de ser tratado?"

– É isso aí! – gritou Chris, quase saltando da cadeira. – E as respostas às suas três perguntas sempre se transformam em pontos de treinamento. Eles fizeram o que era certo? Se julgaram fazer a coisa certa, mas ela deu errado, treine-os! Se não sabiam o que era certo fazer naquela situação, eis uma ótima oportunidade para ensiná-los! Fizeram o melhor que eram capazes de fazer? Se a resposta for negativa, será mais uma oportunidade para treiná-los! Trataram as outras pessoas como gostariam de ser tratados? Se não, é hora de desenvolver neles essa capacidade. Adorei!

Teresa também gostou:

– Se os meus alunos ou professores souberem de antemão que as normas da casa estão resumidas nessas três perguntas, saberão o que esperar de mim. Saberão que vou fazer essas perguntas e que é melhor estarem preparados para respondê-las. Dá para entender como esse modo de fazer as coisas acaba por se tornar parte da cultura. Tudo passa pelo crivo dessas três perguntas. E também me obriga a me certificar de que os padrões de conduta e desempenho sejam estabelecidos com clareza.

Simeão ficou satisfeito por estarmos aceitando essas ideias:

– Creio que a razão de essas três normas serem tão eficazes é que elas respondem às três perguntas universais que todos fazem uns sobre os outros: Posso confiar em você? Você se compromete com o que diz e faz? Você se importa comigo? Fizemos uma pausa para refletir sobre as palavras de Simeão.

– E, se as pessoas não concordarem com essas diretrizes – acrescentou o sargento –, será que vamos querê-las na nossa equipe? Minha experiência é que quem pratica a excelência não se dá bem com quem pratica a mediocridade. É por isso que os grandes líderes são inflexíveis quando se trata de fazer as pessoas assumirem sua responsabilidade perante as regras da casa. Como vimos, não fazer isso destrói o moral. Baixar os padrões de excelência destrói a cultura saudável.

– Sem dúvida, Greg – concordou Simeão. – Agora, o segundo passo para criar uma cultura saudável é construir a comunidade, o que consiste em duas atividades contínuas e intermináveis. Número um: ajudar as pessoas a identificarem e eliminarem suas barreiras pessoais. Número dois: construir ligações significativas entre elas. O feedback das pessoas-chave da nossa esfera de influência é permanente. E como há muitas maneiras inteligentes de obter esse retorno, tratem de ser criativos. Convoquem a ajuda da sua equipe. Sempre há novas maneiras de criar vínculos, trocando experiências de vida, fazendo exercícios de vivência, passeios, trabalhos beneficentes e muitas outras atividades. Nas minhas reuniões semanais, ou até à mesa de jantar, eu investia alguns minutos para o que chamava de "pergunta do dia", do tipo "Qual foi a sua maior realização?", ou "Qual foi a maior decepção na sua vida?", ou "Com que você vem batalhando, ultimamente?". À medida que a união do grupo se aprofundava, as perguntas também se tornavam mais profundas. E, conforme as pessoas iam construindo vínculos afetivos mais profundos, a confiança, o comprometimento, a excelência e a comunidade eram alguns dos frutos naturalmente produzidos.

Todos nos recostamos na cadeira, refletindo sobre as implicações do que tínhamos ouvido. Havíamos coberto um vasto território e tínhamos muito trabalho pela frente.

No fundo de mim, senti formar-se uma onda de empolgação.

Sou capaz de fazer isto.

Capítulo 27

Regresso

Jamais cessaremos de explorar
E o fim de toda exploração
Será chegarmos ao ponto de partida
E o conhecermos pela primeira vez.
– T. S. Eliot

Era hora de nos despedirmos, e Simeão parecia triste.

– Estamos encerrando este fim de semana e quero que todos saibam que apreciei imensamente o nosso reencontro. Aprendi muito com vocês e sentirei saudades de cada um.

Para mim estava absolutamente claro o motivo de Simeão ter sido o executivo mais famoso de sua geração. Que líder fenomenal! Observá-lo e vivenciar seu modo de nos conduzir durante o fim de semana, utilizando sua versão do método socrático de ensino, foi um prazer e um privilégio. Estávamos, certamente, diante da grandeza de um verdadeiro mestre em sua arte.

Através da partilha de experiências pessoais, de perguntas precisas, das intervenções – e não intervenções – estratégicas, Simeão nos cativou e nos inspirou. E tudo isso captando e usando as melhores contribuições das experiências singulares de vida de cada um.

E, como acontece com os verdadeiros profissionais, ele fez tudo parecer fácil.

Passamos às despedidas e, como você pode imaginar, os abraços e lágrimas rolaram soltos.

Não digo que eu quisesse passar minhas férias seguintes com o pastor, certamente não. Mas, se precisasse de mim, ele poderia contar comigo. Agora havia uma ligação. Um vínculo. Não sei ao certo de que outro modo descrevê-lo.

Terminadas as despedidas, cada um foi para seu quarto arrumar as malas. Passei algum tempo sentado na cama, imerso em reflexões sobre o que havia experimentado naqueles dias. Sentia-me animado a voltar para casa, antecipando as mudanças que faria.

Mas também estava inquieto.

Depois de algum tempo, saí do prédio e da área já deserta, e me dirigi para a minha caminhonete. Logo deparei com Simeão, sentado no mesmo banco que as gaivotas sujavam e que tínhamos dividido na sexta-feira. Nossos olhares se encontraram e ele apontou para o lugar vazio ao seu lado.

Ficamos sentados em silêncio, admirando o imenso lago azul lá embaixo, coberto por picos de espuma branca que o forte vento oeste fazia brotar da água. As folhas secas das árvores farfalhavam e caíam à nossa volta, enquanto o sol baixava no horizonte distante.

Fui o primeiro a falar.

– Bem, pode ser que desta vez eu acerte, Simeão.

– Estarei orando por você, John.

– Obrigado, mas, para ser sincero, estou morto de medo!

– Medo de quê?

– Há dois anos eu estava todo entusiasmado e empolgado, tal como estou agora, mas falhei de forma vergonhosa.

– Você obteve um resultado, John, não um fracasso – esclareceu Simeão, mas não tive certeza de que havia uma diferença.

— Resultado ou fracasso, a realidade é que minha vida está uma bagunça. E tenho medo de falhar de novo.
— Desta vez você está diferente.
— Estou?
— Há dois anos, quando saiu daqui, você estava empolgado e cheio de confiança...
— Você quer dizer cheio de orgulho e arrogância — eu o corrigi.
— Talvez, John. Mas agora aquilo tudo foi substituído por uma coisa bonita. E o nome dela é humildade.
— Você acha mesmo?
— Você conseguiu admitir seus erros, John, e a humildade é a diferença crucial. Lembre-se sempre, meu amigo: é muito provável que esta seja a qualidade mais importante de um grande líder.
— Por que você não me disse isso há dois anos, e não me poupou de todo este sofrimento? — reagi, meio aborrecido.
— Porque você ainda não estava pronto, meu amigo. Tinha de sair e sentir mais dor. Precisava ir até o fundo de si mesmo. Desta vez, o discípulo está pronto.

ENQUANTO DIRIGIA PARA CASA, fui planejando minha estratégia.
Logo ao chegar, chamei minha mulher, meu filho e minha filha na sala e anunciei que teríamos uma reunião de família no dia seguinte, às sete da noite.
Reunião de família? Sério? Isso nunca fora feito na história do nosso clã.
Rachel reagiu com espírito esportivo e pareceu disposta a ver aonde aquilo levaria. John Jr., como era de esperar, ficou danado da vida ao prever a interrupção do seu horário dos videogames. Sara simplesmente grunhiu mais um de seus monossílabos ininteligíveis.

Na noite seguinte, às 19h10 (meus dois filhos se atrasaram), nós nos sentamos em torno da mesa de jantar. Comecei declarando que eu tinha falhado com eles, como marido e como pai. Foi só o que eu disse e deixei a afirmação pairar na sala por alguns minutos.

Depois, minha voz embargou e eu disse que queria fazer mudanças e precisava da ajuda deles. Disse-lhes que meu plano era marcar encontros semanais com cada um, para entender melhor as suas ideias e também para ouvir o que eles tinham a dizer sobre como eu poderia melhorar.

Olhei para Rachel e disse:

— Você está espantada, meu bem.

Acho que ela não conseguia acreditar no que estava ouvindo.

John Jr. descruzou os braços e, aos poucos, levantou a cabeça, fixando os olhos diretamente em mim.

Numa atitude inédita, Sara colocou o celular na mesa e, em seguida, sem pestanejar, manteve contato visual comigo pela primeira vez em anos.

Acho que despertei a atenção dos três.

No trabalho, minha missão passou a ser a construção de líderes e de uma nova cultura.

Tal como fizera com a família, convoquei uma reunião com meus dez gerentes. Sentamos em torno da mesa de conferências, eles, nervosos, de olhos grudados em suas anotações, mapas e gráficos. Eu sabia que todos esperavam que eu apontasse suas falhas e criticasse seu desempenho em suas respectivas áreas.

Em vez disso, pedi desculpas a todos e disse que tinha falhado com eles nas minhas funções de chefe e de líder. Disse-lhes que as coisas iam mudar e que eu iria precisar da ajuda deles. Deixei que absorvessem essas ideias ao longo de dois longos minutos. O silêncio quase me matou.

Perguntei se tinham alguma pergunta ou comentário, mas todos permaneceram calados. A boa notícia foi que, a essa altura, eles olhavam na minha direção. Já era um começo. Tenho certeza de que estavam céticos, mas quem poderia censurá-los? Logo no dia seguinte, comecei a executar meu plano. Marquei reuniões individuais com cada um de meus gerentes para os doze meses seguintes. Todas as reuniões de equipe passaram a incluir pelo menos dez minutos de debate sobre algum aspecto da liderança que eu tinha aprendido no retiro. Começamos a ler juntos um livro sobre liderança e trouxe um palestrante de fora para dar uma sacudida nas coisas e nos fazer pensar.

Dei início ao processo de avaliação e feedback com a distribuição da Lista de Habilidades de Liderança para todos os gerentes e suas equipes. A partir das respostas, anônimas e confidenciais, tivemos uma ideia clara de nossas defasagens e começamos a preencher as lacunas. O feedback a meu respeito foi brutal, mas isso não me desanimou. Na verdade, deixou-me mais decidido que nunca a mudar.

Em seguida, começamos a falar de nossas barreiras pessoais e do que faríamos para eliminá-las, o que incluiu planos de ação específicos.

Em duas semanas, marquei dezenove reuniões, que abrangeram todos os trezentos e poucos empregados em três turnos, e apresentei as novas regras da casa. Afixamos cartazes gigantescos por todo o prédio, com três afirmações simples: Faça o que é certo; Faça o melhor que puder; Siga a regra de ouro. Foi incrível como todos aderiram rapidamente, pelo menos à ideia. Transformar essa ideia em nossa cultura e em nossos hábitos levaria mais tempo.

Também trabalhei na construção da comunidade, em casa e no trabalho.

Em casa, uma nova regra foi que jantaríamos juntos todas as noites. Somente a invalidez ou a morte justificariam o não comparecimento na hora marcada. Logo depois do jantar, e enquanto ainda estávamos à mesa, tínhamos uma "Pergunta do Dia", e havia um revezamento dos que faziam a pergunta à mesa a cada noite. A regra era que todos tínhamos de responder de maneira sincera e honesta.

Nas duas primeiras semanas, foi um suplício, mas aos poucos meus filhos foram se abrindo, e logo passaram a ansiar por aquele momento e a me lembrar da pergunta, quando eu a esquecia depois do jantar. Fiquei admirado com quanto aprendemos uns sobre os outros. Cheguei até a descobrir várias coisas que nunca soubera a respeito de Rachel.

No trabalho, também comecei a construir laços significativos com membros da equipe. Fazíamos uma "Pergunta do Dia" nas reuniões semanais, ou exercícios de vivência, e compartilhávamos histórias da nossa vida. Chegamos até a fazer juntos uma trilha de arvorismo, além de outros eventos e excursões. A maioria dessas coisas não teve qualquer custo para a empresa e tomou apenas uma pequena parte do dia. Foi o melhor investimento que já fiz.

Nossas equipes logo começaram a se conhecer num nível muito mais profundo. Foram reveladas histórias pessoais que nunca tinham sido contadas a ninguém. Começaram a se estabelecer relações e vínculos afetivos que, com o tempo, foram se transformando em confiança. Alguns resistiram mais do que outros, e poucos se negaram a participar do processo.

Mal pude acreditar quando vi surgirem os frutos.

Tudo isso, é claro, exigiu de mim muita determinação e persistência. Em alguns momentos cheguei a sentir raiva dos que me criticavam. Não foi fácil, mas eu estava decidido a dar o melhor de mim. Fui obrigado a praticar a transparência, a humildade e a vulnerabilidade, que não eram, historicamente, minhas três características favoritas. Mas guardei na lembrança a afirmação de Simeão de que a humildade talvez seja a qualidade mais importante do líder.

E, é claro, o professor estava absolutamente certo.

Não se desenvolve a humildade nem qualquer outra habilidade de liderança apenas lendo livros ou vendo slides do PowerPoint.

As habilidades da liderança se desenvolvem, de fato, na prática.

Não existem atalhos.

Não existe mágica.

Passaram-se dois anos desde aquele segundo retiro. Mantivemos contato, nos comunicando com frequência, relatando progressos, falando de dificuldades, trocando experiências. Simeão nos estimula através de e-mails, vibra com nossos avanços e esclarece dúvidas. Lee aparentemente vem superando a crise em que se encontrava, e nossa relação voltou a ser afetuosa, o que me faz um imenso bem. O grupo já começa a planejar um novo encontro.

Talvez algum de vocês se pergunte como tenho estado, ultimamente.

Em síntese, ainda não estou onde precisaria estar.

Mas estou melhor do que antes.

Muito melhor.

Ainda verde, mas amadurecendo.

E mais feliz e em paz.

E você?

Apêndice

"Bando dos Sete" – 14 Pontos para a Liderança

1) Liderança = Enorme responsabilidade
2) Liderança = Influência
3) Liderança = Habilidade
4) Liderança ≠ Gerenciamento
5) Liderança ≠ Poder
6) Liderança = Autoridade
7) Liderança = Serviço
8) Liderança = Amor (em ação)
9) Liderança = Afagos
10) Liderança = Palmadas
11) Liderança = Treinamento
12) Liderança = Compromisso
13) Liderança = Humildade
14) Liderança = Caráter

Definição de liderança

Liderança = Habilidade de influenciar pessoas para que trabalhem com entusiasmo por objetivos identificados como voltados para o bem comum.

Três Fs do treinamento

- **F**undamentos – Estabelecer o padrão
- **F**eedback – Identificar e comunicar a defasagem entre padrão e desempenho
- **F**ricção – Eliminar as defasagens

Três Es da disciplina construtiva

- **E**stabelecer a defasagem
- **E**xplorar as razões da defasagem
- **E**liminar a defasagem

Quatro estágios do desenvolvimento do grupo

Fingimento → Fricção → Formação → Funcionamento

Compromisso com a cultura

- Fazer o que é certo
- Fazer o melhor possível
- Seguir a regra de ouro

Lista de Habilidades de Liderança

Nome do gerente ―――――――――――――――――――――――

Funcionário ――――――――――― Departamento ―――――――――

Por favor, assinale com um X o quadrado apropriado – se você não tem opinião sobre algum tema específico, deixe o quadrado em branco.

	Concorda totalmente	Concorda	Discorda	Discorda totalmente
1. Valoriza os outros.	☐	☐	☐	☐
2. Confronta as pessoas com problemas/situações à medida que surgem.	☐	☐	☐	☐
3. Passa bastante tempo circulando na área de trabalho e acompanha as atividades dos subordinados.	☐	☐	☐	☐
4. Estimula os outros.	☐	☐	☐	☐
5. Deixa claro para os subordinados o que espera deles no trabalho.	☐	☐	☐	☐
6. É um bom ouvinte.	☐	☐	☐	☐
7. Treina e aconselha os funcionários para garantir que os objetivos serão alcançados.	☐	☐	☐	☐
8. Trata as pessoas com respeito (demonstra como são importantes).	☐	☐	☐	☐
9. Participa ativamente do desenvolvimento das pessoas.	☐	☐	☐	☐
10. Dá responsabilidade às pessoas para que elas alcancem os padrões determinados.	☐	☐	☐	☐
11. Dá crédito a quem merece.	☐	☐	☐	☐
12. Demonstra paciência e autocontrole com os outros.	☐	☐	☐	☐
13. As pessoas sentem-se confiantes em segui-lo.	☐	☐	☐	☐

	Concorda totalmente	Concorda	Discorda	Discorda totalmente
14. Possui as habilidades técnicas necessárias para o cargo.	☐	☐	☐	☐
15. Atende as legítimas *necessidades* (em contraste com os *anseios*) dos outros.	☐	☐	☐	☐
16. É capaz de perdoar erros e não guarda ressentimentos.	☐	☐	☐	☐
17. É uma pessoa em quem se pode confiar.	☐	☐	☐	☐
18. *Não* apunhala ninguém pelas costas (fofocar, participar de "panelinhas", etc.).	☐	☐	☐	☐
19. Dá feedback positivo aos colaboradores.	☐	☐	☐	☐
20. *Não* embaraça nem pune as pessoas na presença de outras.	☐	☐	☐	☐
21. Fixa objetivos elevados para si mesmo, para os subordinados e para o departamento.	☐	☐	☐	☐
22. Tem uma atitude positiva no cargo.	☐	☐	☐	☐
23. É sensível às consequências de suas decisões para os outros departamentos.	☐	☐	☐	☐
24. É um líder justo e coerente, liderando pelo exemplo.	☐	☐	☐	☐
25. Não é uma pessoa excessivamente controladora ou dominadora.	☐	☐	☐	☐

Quais são as maiores habilidades de liderança da pessoa que está sendo avaliada?
_____
_____

Que habilidades de liderança a pessoa que está sendo avaliada precisa trabalhar e melhorar?
_____
_____

Barreiras à construção de relacionamentos/comunidade

1. Dificuldade de ser autêntico com os outros.
2. Uso de "máscaras" – convicção de que "está tudo bem".
3. Necessidade de ter todas as respostas.
4. Postura dominadora nas discussões.
5. Excesso de controle/microgerenciamento
6. Interrupção da fala alheia.
7. Baixa capacidade de ouvir.
8. Adoção de ideias e expectativas preconcebidas.
9. Preconceitos – visão estereotipada das outras pessoas.
10. Inacessibilidade.
11. Incapacidade de lidar com críticas.
12. Descontrole emocional, oscilações de humor.
13. Imprevisibilidade, inconsistência.
14. Falta de paciência e autocontrole.
15. Constrangimento de outras pessoas em público.
16. Maledicência (falar mal de terceiros pelas costas).
17. "Formação de panelinhas" (alianças destrutivas).
18. Desonestidade, falsidade, não ser confiável.
19. Falta de abertura e franqueza com os outros – segundas intenções, meias verdades, etc.
20. Descompromisso – não assumir suas responsabilidades.
21. Falta de respeito com os outros – não reconhecer os direitos dos outros.
22. Falta de valorização dos outros – não tratar as pessoas como importantes.
23. Falta de incentivo aos outros.
24. Não reconhecimento do mérito alheio.
25. Não verbalização de opiniões contrárias.
26. Necessidade de ser querido por todos – busca contínua da aprovação alheia.

27. Evitar conflitos/confrontos.
28. Autoexclusão (emocional/física) do grupo.
29. Desrespeito à confidencialidade do grupo/dos outros.
30. Incapacidade de perdoar – postura ressentida/rancorosa.

Diretrizes para a construção da comunidade

Compromisso

a) Ser um grupo de líderes – assumir a responsabilidade pelo sucesso (tarefas) e segurança (estabilidade/confidencialidade) do grupo.
b) Estar bem preparado – introduzir a excelência no grupo.
c) Estar plenamente presente (em termos físicos/afetivos) – participar plenamente.
d) Responder por manter o grupo afiado e focado na tarefa.

Comportamento

a) Tomar consciência das próprias barreiras pessoais e aprender a deixá-las de lado.
b) Externar as insatisfações para o grupo – nada de "panelinhas", ideias abafadas nem abandonos. As preocupações devem ser elaboradas com o grupo.

Comunicação – fala

a) Falar apenas ao se sentir *impelido* a fazê-lo (em dúvida, esperar para falar).
b) Falar de maneira *assertiva* – aberta, franca, direta – jamais violar os direitos alheios.

c) Falar na primeira pessoa, em declarações com a palavra "eu" ("Eu acho, eu creio, eu preciso", etc.).

d) Falar de maneira pessoal e profunda, num modelo de transparência e humildade.

Comunicação – escuta

a) Escutar atentamente – empenhar-se em "ver as coisas como eles veem e sentir o que eles sentem".

b) Evitar conversas paralelas – a fala deve ser enunciada por uma pessoa de cada vez.

c) Não interromper – pôr as ideias "entre parênteses" para compartilhá-las depois.

d) Resistir à tentação de consertar/curar/modificar/converter os outros.

e) Resistir à ânsia de "preencher o vazio" com a própria fala – o silêncio vale ouro!

CONHEÇA OS LIVROS DE JAMES C. HUNTER

O monge e o executivo

Como se tornar um líder servidor

De volta ao mosteiro

Para saber mais sobre os títulos e autores da Editora Sextante, visite o nosso site. Além de informações sobre os próximos lançamentos, você terá acesso a conteúdos exclusivos e poderá participar de promoções e sorteios.

sextante.com.br